Gemeinschaftsausgabe

AG SPAK
Arbeitsgemeinschaft sozialpolitischer Arbeitskreise
Materialien der AG SPAK – M 129

Stiftung Mitarbeit
Arbeitshilfen für Selbsthilfe- und Bürgeninitiativen
Band 12

11M

Institut für Beratung und Projektentwicklung (Hg.)
Dieter Harant / Ulrike Köllner

Vereinspraxis

Ein Ratgeber zum Vereinsrecht, zum Arbeitsrecht und zu kaufmännischen Fragen

Impressum

4. aktualisierte und erweiterte Auflage 2006

Satz: Hannelore Zimmermann, Waldemar Schindowski

Zu bestellen über den Buchhandel oder direkt bei:

AG SPAK Bücher
Holzheimer Str. 7, 89233 Neu-Ulm
Fax (07308) 91 90 95, eMail: spak-buecher@leibi.de
Internet: www.agspak-buecher.de

Stiftung MITARBEIT, Bundesgeschäftsstelle
Bornheimer Straße 73, 53111 Bonn
Fax (0228) 6042422 eMail: info@mitarbeit.de
Internet: www.mitarbeit.de

Auslieferung für den Buchhandel:
SOVA, Frankfurt, Fax (069) 410280

ISBN 3-923126-94-8 (AG SPAK Bücher)
ISBN 3-928053-42-6 (Stiftung Mitarbeit)

Die Deutsche Bibliothek – CIP-Einheitsaufnahme
Ein Titeldatensatz für diese Publikation ist bei
der Deutschen Bibliothek erhältlich

Vorwort

Das vorliegende Buch zur Vereinspraxis richtet sich an all jene, die sich mit rechtlichen Fragestellungen und Problemen auseinandersetzen wollen bzw. müssen. Dies können ehrenamtliche Vorstände oder Mitarbeiter, aber auch hauptamtliche Arbeitnehmer von Vereinen sein.

Grundlage für dieses Buch waren eine Vielzahl von Beratungen und Fortbildungen, die die Verfasser in den alten wie in den neuen Bundesländern zum Thema Vereinsrecht selbst durchgeführt haben und durchführen.

Vereinspraxis ist als Nachschlagewerk konzipiert; jedem der nachfolgenden Kapitel liegt ein bestimmter inhaltlicher Schwerpunkt zugrunde. Falls Sie zu einer bestimmten Fragestellung eine Information suchen, blättern Sie einfach im dazugehörigen Kapitel nach oder nutzen das Stichwortverzeichnis ab Seite 201.

Zugunsten einer größeren Übersichtlichkeit und Praktikabilität beschränkt sich der Inhalt auf die am häufigsten vorkommenden Problembereiche. Zu Ihrer Arbeitserleichterung sind auf der beiliegenden CD-ROM Vorlagen für bestimmte Schriftstücke gespeichert (siehe Seite 196). Diese Vorlagen bzw. Beispieltexte können nach eigenen Bedürfnissen verändert und überarbeitet werden. Auf die CD-ROM wird zusätzlich jeweils mit einem Symbol am Rande des Textes hingewiesen.

Trotz sorgfältiger Bearbeitung können Fehler auch bei den auf der CD-ROM gespeicherten (Muster)-Texten nicht ausgeschlossen werden; wir können leider keine Haftung hierfür übernehmen.

Wegen der besseren Lesbarkeit wird oft nur die männliche Form verwendet. Gemeint sind natürlich immer beide Geschlechter.

Falls Sie Anregungen und Vorschläge zu diesem Buch haben, schicken Sie diese bitte an die Adresse von IBPro, diese finden Sie in der Selbstdarstellung auf Seite 204.

An dieser Stelle bedanken wir uns für die fachliche Unterstützung von Hans Rießenberger (Berater des Netzwerks Landsberg) und Michael Schäfer (Steuerberater).

Zur überarbeiteten 4. Auflage

Die durchweg positiven Rückmeldungen, Rezensionen (z.B. www.socialnet.de) und Verbesserungsvorschläge zu den vorherigen Auflagen und die teilweise gravierenden Änderungen im Bereich des Vereins-, Arbeits- und Sozialversicherungsrechts haben uns nach drei Jahren zu einer 4. Auflage veranlasst. Diese ist in weiten Teilen aktualisiert und ergänzt worden .

Ebenso sind die Mustertexte (z.B. Satzung, Arbeitsverträge) überarbeitet und ergänzt worden.

Der Herausgeber/Ihr Autorenteam

Reform des Vereinsrechts

Ob das Vereinsrecht, wie im Gesetzesentwurf des Justizministeriums vom August 2004 geplant. entsprechend des Entwurfs reformiert wird, ist zum Zeitpunkt der Drucklegung dieses Buches noch unklar.

Nachfolgend seien jedoch die wesentlichen Inhalte dieses Gesetzentwurfs dargestellt, mit dem das Ziel verfolgt wird, das seit hundert Jahren im Wesentlichen unveränderte Vereinsrecht an die heutigen Gegebenheiten und Anforderungen anzupassen. Hierfür sollen die relevanten Paragrafen des Bürgerlichen Gesetzbuches (BGB) entsprechend geändert werden.

In der Neufassung des § 21 BGB wird im Entwurf nun auch die wirtschaftliche Betätigung eines Vereins berücksichtigt:

> ***„§ 21 Errichtung des Vereins***
> *(1) Ein Verein kann zu jedem nichtwirtschaftlichen Zweck gegründet werden. Dem steht ein eigener wirtschaftlicher Geschäftsbetrieb des Vereins nicht entgegen, soweit dieser als Hilfsmittel zur Erreichung des nichtwirtschaftlichen Vereinszwecks dienen und gegenüber der nichtwirtschaftlichen Vereinsbetätigung verhältnismäßig geringfügig sein soll; ein solcher Geschäftsbetrieb führt nicht zur Annahme eines nach Satz 1 unzulässigen wirtschaftlichen Zwecks."*

Ziel dieser Überarbeitung ist die gesetzliche Verankerung der Möglichkeit des Betreibens eines wirtschaftlichen Geschäftsbetriebs. Bisher behilft man sich mit dem in der Rechtsprechung entwickelten Konstrukt des so genannten „Nebenzweckprivilegs", das eine wirtschaftliche Betätigung eines ideellen Vereins erlaubt, sofern diese dem ideellen Zweck untergeordnet ist. In der bisherigen Rechtsprechung wurde die Unterordnung bei einem Anteil der Vereinsaktivitäten an der wirtschaftlichen Betätigung von weniger als 50% angesehen, dies könnte sich jetzt ändern.

In der Begründung wird unter anderem folgendes Beispiel angeführt: „So dürfte der Betrieb einer Sportgaststätte in einem Sportverein als geringfügig anzusehen sein, wenn die Vereinsmitglieder zusammen genommen wesentlich weniger – in etwa 10 Prozent

– Zeit für den Gaststättenbetrieb als für die „ideelle“ Tätigkeit aufwenden.“

Umsatzgrößen werden in der Begründung zwar keine genannt, es könnte aber sein, dass die zitierte Prozentzahl auch auf Umsatzzahlen übertragen wird. Als „verhältnismäßig geringfügig“ wird sicherlich kein Umsatzbetrag anerkannt werden, der nahe bei 50 Prozent liegt.

Dieser Aspekt wird auch in einer Stellungnahme der Wirtschaftsverbände vom November 2004 kritisiert, in der der ganze Gesetzentwurf abgelehnt wird, da nach Meinung der Verbände „das geltende Recht ... ein gute Grundlage für die Tätigkeit der Vereine“ bildet. Ebenso wird in dieser Stellungnahme darauf hingewiesen, dass ein Urteil des Bundesgerichtshofs zur Beschränkung der wirtschaftlichen Tätigkeit ideeller Vereine gerade nicht auf das Verhältnis zur nicht wirtschaftlichen Tätigkeit abgestellt hat (AZ: IZ R 88/80, 29.9.1982).

Eine wesentliche Senkung des möglichen Anteils an wirtschaftlicher Betätigung würde für eine Vielzahl von Trägern die Auflösung bedeuten bzw. eine Rechtsformänderung notwendig machen.

In der Januarausgabe 2005 „Verein aktuell“ des wrs-Verlages wird darauf hingewiesen, dass der Gesetzentwurf nicht auf die im Steuerrecht praktizierte Unterscheidung der wirtschaftlichen Betätigung in

1. steuerbegünstigten Zweckbetrieb und in
2. steuerpflichtigen Wirtschaftsbetrieb

eingeht. Wenn die wirtschaftliche Betätigung im Zweckbetrieb ebenso zur wirtschaftlichen Betätigung nach der Neufassung des § 21 BGB zählen würde, wäre das ein Problem für eine noch größere Zahl von Vereinen.

In der bisherigen Rechtsprechung hatte eine wirtschaftliche Zweckverfolgung nur den Entzug der Rechtsfähigkeit zur Folge (§ 43 BGB), das heißt, der Verein konnte als nicht rechtsfähiger (nicht eingetragener) Verein weiterexistieren. Diese Möglichkeit gibt es nach dem Gesetzentwurf nicht mehr. Begründung: „Damit soll gewährleistet werden, dass die Rechtsform des Vereins nicht über die Grenzen des vorgeschlagenen § 21 Abs.1 BGB hinaus zu wirtschaftlicher Betätigung missbraucht wird und die strengeren

Gläubigerschutzvorschriften der Kapitalgesellschaften umgangen werden.“ Es wird in diesem Fall allerdings die Möglichkeit der Umwandlung in eine andere Rechtsform gegeben.

Die nur für eine sehr geringe Zahl von Vereinen relevanten Paragrafen 22 (Wirtschaftsvereine) und 23 BGB (ausländische Vereine) sollen ersatzlos gestrichen werden, wobei es großzügige Übergangsfristen für die bestehenden Vereine geben soll.

Eine weitere Änderung betrifft den § 54 BGB, dieser „soll dahingehend geändert werden, dass auf den nicht rechtsfähigen Verein die Vorschriften der §§ 21 bis 53 BGB über den (rechtsfähigen) Verein entsprechende Anwendung finden, soweit sie nicht die Rechtsfähigkeit oder Registereintragung des Vereins voraussetzen“. Hier folgt der Gesetzgeber der faktischen Rechtssprechung, die für den nichteingetragenen Verein nicht, wie im geltenden Recht vorgesehen, die Regelungen des Gesellschaftsrechts (§§ 705 ff. BGB) angewendet hat, sondern die Bestimmungen des Vereinsrechts. Kommentar im Entwurf: „Durch die vorgeschlagene Änderung des § 54 Satz 1 wird für nicht rechtsfähige Vereine mehr Rechtssicherheit geschaffen und ihre Rechtsposition gestärkt.“

Des Weiteren soll die Zivilprozessordnung (§ 50 Abs. 2 ZPO) dahin gehend geändert werden, dass auch ein nicht rechtsfähiger Verein die aktive Parteifähigkeit erhält, das heißt, dass er als Verein Klage erheben kann. Teilweise wird dies bereits praktiziert.

Bleibt zu hoffen, dass die Beschränkungen und Unklarheiten in der wirtschaftlichen Betätigung noch überarbeitet werden, damit die Vereinsarbeit davon unbelastet weitergehen kann.

Inhalt

1

Vereinsrecht

Die Bedeutung der Rechtsfähigkeit des Vereins

Der nicht eingetragene Verein ist ebenso wie der eingetragene Verein (e.V.) *korporativ* oder *körperschaftlich* organisiert. Dies bedeutet, er handelt wie ein Körper durch *Organe* (Mitgliederversammlung, Vorstand). Jeder Verein gibt sich eine eigene Verfassung, eine *Satzung*. Er besteht unabhängig von Eintritt oder Austritt von Mitgliedern fort. Jedes Mitglied hat die gleichen Rechte und Pflichten.

Der alleinige Unterschied zwischen dem nicht eingetragenen und dem eingetragenen Verein ist die Rechtsfähigkeit. Dies bedeutet: Der eingetragene Verein ist eine *juristische Person*, die wie eine natürliche Person Träger von Rechten und Pflichten und auch Inhaber des Vereinsvermögens ist. Die gesetzlichen Grundlagen des Vereins sind in den §§ 21ff. BGB geregelt (siehe CD-ROM, Vereinsgesetz.pdf).

Der nicht eingetragene Verein

Nach neuer herrschender Meinung in Rechtsprechung und Lehre sind auf den nicht eingetragenen Verein alle Regelungen des Vereinsrechts anzuwenden mit Ausnahme der Vorschriften, die Rechtsfähigkeit voraussetzen.

Zudem wird auch dem nicht eingetragenen Verein partielle Rechtsfähigkeit zugestanden – so gilt er als aktiv und passiv parteifähig, der nicht eingetragene Verein kann also im eigenen Namen klagen und verklagt werden; er kann als Verein in das Grundbuch eingetragen werden und ist Träger des Vereinsvermögens.

Jedoch haftet jeder, der für den Verein handelt, persönlich mit seinem gesamten Vermögen für eventuelle Folgen seines Handelns, neben der Haftung des Vereinsvermögens (§ 54 Satz 2 BGB). Dies gilt für die Haftung aus dem Abschluss von Rechtsgeschäften, nicht jedoch für die Haftung aus Verursachung eines Schadens. Hier gilt wie beim rechtsfähigen Verein § 31 BGB (siehe unten S. 25 ff).

Die persönliche Haftung einer Person, die für einen nicht eingetragenen Verein handelt, erlischt durch eine spätere Vereinseintragung ins Vereinsregister nur für jene Rechtsgeschäfte, bei deren Abschluss die Eintragung bereits beschlossen und veranlasst worden war.

Der eingetragene Verein (e.V.)

Der nicht-rechtsfähige Verein erwirbt die Rechtsfähigkeit durch Eintragung in das Vereinsregister (§ 21 BGB), wenn der Hauptzweck nicht auf wirtschaftliche Betätigung gerichtet ist (*Idealverein*). Ein wirtschaftlicher Nebenzweck (z.B. Gaststätte eines Sportvereins) ist unschädlich. Der wirtschaftliche Nebenzweck muss der ideellen Zielsetzung jedoch eindeutig untergeordnet sein. Andernfalls ist zu überlegen, ob die geeignetere Rechtsform eine GmbH ist, die ihre Produkte wie andere Unternehmen auf dem freien Markt anbietet (siehe dazu S. 43f.).

! **Achtung:** Nicht jeder Idealverein ist gemeinnützig, nicht jede gemeinnützige Organisation muss die Rechtsform des Vereins wählen. Die Gemeinnützigkeit wird allein durch das Steuerrecht geregelt und betrifft die Befreiung von Steuerpflichten. Der eingetragene Idealverein wird als Rechtsform neben anderen, wie GbR (Gesellschaft bürgerlichen Rechts) oder GmbH (Gesellschaft mit beschränkter Haftung), in den §§ 21ff. des Bürgerlichen Gesetzbuches mit besonderen Vorschriften versehen.

Die Eintragung in das Vereinsregister kann nicht durch den Vorstand beschlossen werden, sie muss in der Satzung bestimmt sein.

Zuständig für die Eintragung in das Vereinsregister ist das Registergericht am Sitz des Vereins. Im Zeitraum zwischen Vereinsgründung und Vereinseintragung spricht man auch vom „Vorverein". Der Vorverein kann bereits Verträge schließen, allerdings ohne das Kürzel e.V. anzuwenden. Auch im Vorverein gemachte Schulden gehen nach der Eintragung auf den e.V. über.

Der eingetragene Verein ist eine *juristische Person*. Das Vermögen des e.V. gehört nicht seinen Mitgliedern, sondern ihm selbst. Die Schulden des e.V. sind nicht Schulden seiner Mitglieder. Der Verein haftet in der Regel für die Begleichung der Büromiete oder des Gehalts der Bürokraft, nicht jedoch die Mitglieder. Der Verein kann unter seinem Namen gerichtliche Klage erheben sowie verklagt werden und ins Grundbuch eingetragen werden. Der e.V. existiert neben und unabhängig von seinen Mitgliedern als juristische Person, so dass er mit seinen Mitgliedern Verträge abschließen kann.

Die Rechtsfähigkeit wird entzogen, wenn die Mitgliederzahl unter drei sinkt (§ 73 BGB).

Die rechtliche Stellung der Vereinsorgane

Ein Verein hat mindestens zwei Organe, den *Vorstand* und die *Mitgliederversammlung*.

Daneben kann durch die Satzung für einzelne Geschäftsbereiche (z.B. Judoabteilung eines Sportvereins / Leitung eines eigenständigen Projektes in einem anderen Bundesland / Führung einer Vereinsgaststätte oder einer dem Verein angegliederten Kinderkrippe) ein besonderer Vertreter gemäß § 30 BGB eingesetzt werden, der innerhalb seines Wirkungskreises dieselbe Stellung wie der Vorstand hat und ebenfalls in das Vereinsregister einzutragen ist.

Weitere Organe wie Beirat, Kuratorium, Präsidium oder ähnliches können durch die Satzung beliebig eingesetzt und mit Kompetenzen ausgestattet werden, solange nicht gegen gesetzliche Vorschriften (vor allem die Vertretungsmacht des Vorstands) verstoßen wird. So wird häufig ein Kuratorium mit klangvollen, bei Spendern zugkräftigen Namen besetzt und dieses mit beratender Funktion ausgestattet. Auch können Finanzentscheidungen zum Beispiel auf einen gesondert zu wählenden Beirat vom Vorstand weg verlagert werden.

Achtung: Je komplizierter ein Vereinsgebilde, desto leichter kann Streit zwischen Entscheidungsträgern über die jeweiligen Kompetenzen entstehen. Je klarer und kürzer eine Satzung formuliert ist, mit eindeutiger Aufgabenzuweisung an Vorstand und Mitgliederversammlung, desto leichter lassen sich Streitigkeiten vermeiden (siehe dazu Mustersatzung auf CD-ROM).

Mitgliederversammlung

Nach dem Gesetz (§ 32 BGB) ist die Mitgliederversammlung das oberste beschlussfassende Organ des Vereins. Es werden alle Vereinsangelegenheiten durch die Mitgliederversammlung geregelt, soweit sie nicht durch Satzung ausdrücklich einem anderen Organ zugewiesen sind. Die Mitgliederversammlung ist gegenüber dem Vorstand weisungsberechtigt. Diese vom Gesetz vorgegebene Stellung der Mitgliederversammlung kann die Satzung (das ist der Gründungsvertrag der Mitglieder) weitgehend abändern.

Üblicherweise findet eine Mitgliederversammlung nach entsprechender Ladung unter Bekanntgabe der Tagesordnung statt, das heißt, „der Gegenstand der Beschlussfassung" (§ 32 Abs.1 S.2 BGB) muss bekannt sein. Anträge, die nicht in der Tagesordnung angekündigt worden sind, können nur bei besonderer Dringlichkeit beschlossen werden. Die Satzung kann aber auch bestimmen, dass eine Tagesordnung bei der Ladung nicht notwendig ist.

Zu beachten sind dabei die in der Satzung angegeben Ladungsfristen, werden diese nicht eingehalten, können Beschlüsse der Versammlung angefochten werden. Eine Online-Mitgliederversammlung soll dann möglich sein, wenn die Satzung hierfür eine Grundlage enthält oder alle Mitglieder dieser Verfahrensweise zugestimmt haben.

Das einzige Recht, das der Mitgliederversammlung durch die Satzung nicht genommen werden darf, ist das, über die Auflösung des Vereins zu beschließen. Auch muss die Mitgliederversammlung bestimmen, wer bei Auflösung des Vereins das Vermögen erhält. Gemeinnützige Vereine haben meist auf Verlangen des Finanzamts bereits in der Satzung hierzu eine Regelung getroffen (siehe dazu den Abschnitt *Liquidation und Insolvenz, Seite 38f.).*

Üblicherweise wird die Mitgliederversammlung in ihren Rechten nicht derart beschränkt, sondern es werden häufig folgende Aufgaben der Mitgliederversammlung ausdrücklich zugewiesen:

- Wahl des Vorstands; nach dem Gesetz mit einfacher Mehrheit,
- Wahl von RevisorInnen/KassenprüferInnen; mit einfacher Mehrheit,
- Satzungsänderungen; nach dem Gesetz mit 3/4-Mehrheit,
- Änderung des Vereinszwecks; nach dem Gesetz ist hierzu die Zustimmung aller Vereinsmitglieder notwendig,
- Entgegennahme der Jahres- / Kassenberichte des Vorstands,
- Entgegennahme des Prüfungsberichtes von RevisorInnen oder KassenprüferInnen,
- Entlastung des Vorstands.

Die gesetzlich vorgegebenen Mehrheiten beziehen sich jeweils auf die anwesenden Mitglieder, wobei Stimmenthaltungen wie nicht anwesende Mitglieder gewertet werden (nach einem Entscheid des Bundesgerichtshofs von 1982). Die Mehrheiten können durch die Satzung anders bestimmt werden. Dies empfiehlt sich vor allem bei Änderung des Vereinszwecks, da bei vielen Vereinen die Zustimmung aller Vereinsmitglieder schwer einzuholen ist.

Achtung: Viele Vereine legen für die Beschlussfassung der Mitgliederversammlung eine bestimmte Mindestzahl oder einen bestimmten Prozentsatz anwesender Mitglieder fest. Mit steigendem Alter des Vereins wächst die Anzahl der „Karteileichen", so dass durch eine derartige Bestimmung der gesamte Verein blockiert werden kann. Es empfiehlt sich, eine solche Satzungsregelung zu streichen oder dahingehend zu ergänzen, dass bei Nicht-Beschlussfähigkeit einer Mitgliederversammlung eine Folge-Mitgliederversammlung einzuberufen ist, die dann – unabhängig von der Zahl der anwesenden Personen – beschlussfähig ist. Darauf muss in der Einladung hingewiesen werden.

!

Die Mitgliederversammlung hat gegenüber Vorstand und etwaigen anderen Organen Informations- und Auskunftsrechte, nicht jedoch das einzelne Mitglied, das lediglich die Informations- und Auskunftsrechte der Mitgliederversammlung durch das dortige Antragsrecht geltend machen kann.

Vorstand

Der Vorstand hat zwei Aufgaben, zum einen die gesetzliche Vertretung des Vereins nach außen, zum anderen die Geschäftsführung für den Verein.

Es kann in der Satzung unterschieden werden zwischen dem Vorstand gemäß § 26 Abs.2 BGB, d.h. dem gesetzlichen Vertreter des Vereins, der ins Vereinsregister eingetragen wird, und einem (nicht eingetragenen) erweiterten, geschäftsführenden Vorstand. In diesen erweiterten Vorstand können Mitglieder gewählt werden, die nicht vertretungsberechtigt sind, also z.B. keine Verträge unterzeichnen dürfen, sondern lediglich geschäftsführende, z.B. organisatorische Aufgaben wahrnehmen. Diese Unterscheidung ist bei der Aufgabenteilung und in der Satzung strikt zu beachten.

Um Unklarheiten zu vermeiden, ist es besser, bereits in der Satzung unterschiedliche Bezeichnungen zu wählen: Als *Vorstand* ist der *vertretungsberechtigte Vorstand* (der aus mehreren Personen bestehen kann) zu benennen, der stets auch die Geschäfte des Vereins führt. Sollen weitere Personen zum Zweck der Arbeitsentlastung des Vorstands als Beisitzer mit Geschäftsführungsaufgaben gewählt werden, kann dieses Gremium (den Gesamtvorstand bzw. geschäftsführenden oder erweiterten Vorstand) als *Beirat, Präsidium* o.ä. bezeichnet werden.

Die Vertretung innerhalb eines mehrgliedrigen Vorstands muss in der Satzung eindeutig geregelt sein, so ist beispielsweise eine Regelung unzulässig, die besagt, dass der Vorstand im Falle eines Rücktritts oder im Krankheitsfall durch eine Person vertreten wird, die nicht Vorstand ist. Auch beschränkt geschäftsfähige Personen (z.B. Minderjährige) können von der Mitgliederversammlung zum Vorstand gewählt werden, allerdings ist für die Annahme des Amtes die Einwilligung ihrer gesetzlichen Vertreter notwendig.

Der vertretungsberechtigte Vorstand

Der Vorstand hat die Stellung eines gesetzlichen Vertreters (§ 26 Abs.2 BGB). Er vertritt den Verein gerichtlich und außergerichtlich, also bei Gerichtsverfahren ebenso wie z.B. bei Vertragsabschlüssen.

Keinem Mitglied des Vorstands darf die Vertretungsberechtigung völlig entzogen werden (d.h. eine Regelung, wie z.B. Vertretungsberechtigung nur im Krankheitsfall eines anderen Vorstandsmitglieds, ist unzulässig!).

Der Umfang der Vertretungsmacht kann durch die Satzung beschränkt werden (z.B. auf Geschäfte bis maximal 1.000 €, so dass bei höheren Beträgen die Zustimmung der Mitgliederversammlung erforderlich ist). Die Beschränkung wirkt erst dann gegenüber dritten Vertragspartnern, wenn die Beschränkung ins Vereinsregister eingetragen wurde (§ 26 Abs.2 Satz 2, § 64 Satz 2 BGB). Demnach sind Satzungsbestimmungen, die die Vertretungsmacht des Vorstands beschränken, in jedem Fall ins Register einzutragen. Sollte der Vorstand Geschäfte außerhalb dieser Vertretungsmacht tätigen, ehe die Beschränkung in das Vereinsregister eingetragen werden konnte, kann sich der Verein auf die Beschränkung nur berufen, wenn sie den Vertragspartnern bekannt war.

Die Vertretungsmacht ist auch ohne ausdrückliche Regelung in der Satzung insoweit beschränkt, als das Handeln des Vorstands nicht eindeutig außerhalb des Vereinszwecks liegen darf. Schließt der Vorstand also einen Vertrag ab, der ganz offensichtlich mit dem Vereinszweck nichts zu tun hat, kann der Vertragspartner die Erfüllung des Vertrags nicht vom Verein verlangen.

zB.

Beispiel: Das Vorstandsmitglied eines gemeinnützigen Vereins mit dem Zweck des Umweltschutzes bestellt im Namen des Vereins einen Sportwagen.

Besteht ein Vorstand aus mehreren Personen, wird der Verein durch eine (einfache) Mehrheit der Vorstandsmitglieder vertreten, die *gemeinsam* handeln müssen. Dies gilt, wenn in der Satzung keine andere oder gar keine Regelung diesbezüglich enthalten ist. Durch Satzung kann auch bei einem Mehrpersonenvorstand Einzelvertretungsbefugnis (d.h. jedes Vorstandsmitglied kann alleine für den Verein handeln) oder Gesamtvertretungsbefugnis (d.h. nur alle Vorstandsmitglieder gemeinsam können für den Verein handeln) bestimmt werden.

!

Achtung: Gesamtvertretungsbefugnis macht den Vereinsvorstand schwerfällig und kann ihn blockieren, wenn z.B. ein Vorstandsmitglied in Urlaub fährt oder krank wird. Die übliche Regelung bestimmt deshalb beim Mehrpersonenvorstand, dass jeweils zwei Personen gemeinsam vertretungsberechtigt sind, oder ordnet Einzelvertretungsbefugnis an.

Für die „Passivvertretung", die Entgegennahme von Willenserklärungen durch den Vorstand (z.B. Austrittserklärung eines Mitglieds, Kündigungserklärung einer Angestellten) genügt stets die Erklärung gegenüber einem einzelnen Vorstandsmitglied (§ 28 Abs.2 BGB).

! **Achtung:** Bei der Aktivvertretung z.B. bei Kündigungen im Personalbereich ist es wichtig, dass bei einer gemeinsamen Vertretungsberechtigung zweier Vorstände beide Vorstände unterzeichnen, ansonsten ist die Kündigung unwirksam.

Der Vorstand als geschäftsführendes Organ

Zur *Geschäftsführung* des Vorstands zählen alle Tätigkeiten des Vorstands für den Verein, von der Kassenführung bis zum Bleistiftspitzen. Auch Vertretungshandlungen gegenüber Dritten (z.B. Abschluss von Arbeitsverträgen) beinhalten eine Geschäftsführung für den Verein.

Hieraus folgt: Hat der Verein neben dem vertretungsberechtigten einen erweiterten geschäftsführenden Vorstand, dürfen die nicht vertretungsberechtigten Vorstandsmitglieder zwar über die Geschäftsführung mit abstimmen. Sie dürfen beispielsweise jedoch nicht einen Arbeitsvertrag oder Mietvertrag unterzeichnen.

Ist satzungsmäßig die Vertretung des Vereins durch zwei Vorstandsmitglieder vorgesehen, ist eine Ermächtigung eines Vorstands zur alleinigen Vertretung nichtig, wenn es sich dabei um eine Generalvollmacht handelt.

! **Achtung!** Regelt die Satzung die Beschlussfassung des Vorstands abweichend vom Mehrheitsprinzip (z.B. Einstimmigkeit oder Zustimmungspflicht des Geschäftsführers), wird dies ins Vereinsregister eingetragen.

Der BGH schließt aus der Einheit von Vertretungs- und Geschäftsführungshandlung, dass sich aus der Einzelvertretungsbefugnis eines Vorstandsmitglieds zwangsläufig eine Berechtigung zur alleinigen

Geschäftsführung ergibt. Ein alleinvertretungsbefugter Vorstand kann folglich die Geschäfte des Vereins ohne Rücksprache mit dem Gesamtvorstand führen, solange er im Interesse des Vereins handelt. Allerdings ist jedes andere alleinvertretungsbefugte Vorstandsmitglied ebenso wie die Mehrheit des Gesamtvorstands befugt, der Geschäftsführung eines Einzelnen in bestimmten Handlungen zu widersprechen. Dann hat die Handlung zu unterbleiben, bis ein Konsens gefunden wird.

Dies darf aber nicht dazu führen, dass die von der Satzung zugebilligte Alleinvertretungs- und Alleingeschäftsführungsbefugnis unterwandert wird, z.B. indem der Gesamtvorstand beschließt, dass allen Entscheidungen eines alleinvertretungsberechtigten Vorstandsmitglieds ein Mehrheitsbeschluss zugrunde liegen muss.

Dies kann lediglich die Satzung bestimmen. Die Regelung würde lauten: Mehrheitsentscheidungen des Vorstands sind auch für die alleinvertretungsbefugten Vorstandsmitglieder bindend.

Dies hätte zur Folge, dass zwar alleinvertretungsberechtigte Vorstandsmitglieder alleine handeln dürfen, aber in dem Moment, in dem der Gesamtvorstand mehrheitlich anders entscheidet, hieran gebunden sind.

Für die geschäftsführende Tätigkeit haben die Vorstandsmitglieder gegen den Verein als Auftraggeber einen Anspruch auf Ersatz ihrer Aufwendungen. Aufwendungen sind nur tatsächlich bezahlte Auslagen, wie etwa Telefongebühren oder Reisekosten. Dieser Anspruch ergibt sich aus dem Auftragsverhältnis (siehe § 670 BGB).

Achtung: Verzichtet das Vorstandmitglied auf den Ersatz der Aufwendungen und spendet diese dem Verein, kann es hierfür eine Spendenbescheinigung erhalten. Das Finanzamt erkennt die Spende aber nur an, wenn der Aufwendungsersatz vor dem Entstehen der Aufwendungen schriftlich vereinbart wurde – entweder durch Vertrag, Satzung oder einen gültigen Vorstandsbeschluss (s. BMF-Schreiben vom 07.06.1999). **!**

Vergütung für geleistete Arbeitszeit ist kein Aufwendungsersatz. Die Vorstandstätigkeit ist ein Ehrenamt! Soll ein Vorstandsmitglied dennoch eine Vergütung für die Tätigkeit erhalten, bedarf dies einer Grundlage in der Satzung (z.B. „Vorstandsmitglieder dürfen für ihre Tätigkeit eine angemessene Vergütung erhalten“). Auf dieser

Grundlage kann zwischen dem Verein und dem betreffenden Vorstandsmitglied ein Anstellungs- oder Honorarvertrag abgeschlossen werden. Für den Abschluss des Anstellungsvertrages ist die Mitgliederversammlung zuständig, da ein Vorstandsmitglied nicht mit sich selbst als Vertreter des Vereins einen Vertrag abschließen darf. Sind weitere Vorstandsmitglieder in vertretungsberechtigter Zahl vorhanden, können diese den Anstellungsvertrag unterzeichnen. Die Genehmigung durch einen Beschluss der Mitgliederversammlung ist jedoch Voraussetzung für die Wirksamkeit des Vertrags.

! **Achtung:** Solange innerhalb des Vereins kein Streit entsteht, hat es – wie bei den meisten Regelungen – keine Folgen, wenn die Satzungsgrundlage für die Vergütung der Vorstandstätigkeit fehlt. Im Streitfall heißt es: Die Vergütung wurde ohne Rechtsgrundlage gezahlt und ist zurück zu erstatten. Dies gilt insbesondere bei Zahlung pauschalen Aufwendungsersatzes. Ersatz für Aufwendungen sind nur zulässig , wenn sie tatsächlich entstanden und belegbar sind. Sowohl bei nicht satzungmäßig abgedeckten Vorstandsvergütungen als auch bei pauschalem Aufwendungsersatz für Vorstände kann es Probleme mit dem zuständigen Finanzamt und der Gemeinnützigkeit geben.

Die Haftung des Vereins und des Vorstands gegenüber Dritten

Zum Thema Haftung gegenüber Gläubigern im Insolvenzfall siehe Abschnitt *Liquidation und Insolvenz*.

Vertragliche Haftung

Da der Vorstand oder andere verfassungsmäßig berufene Vertreter Verträge nicht in eigenem Namen, sondern im Namen des Vereins als dessen gesetzlicher Vertreter abschließt, haftet allein der Verein den Vertragspartnern für die Erfüllung der vertraglichen Verpflichtungen. Der außenstehende Dritte hat bei Schäden aufgrund von Vertragsverletzungen lediglich auf das Vereinsvermögen Zugriff (§ 31 BGB). Diese so genannte Organhaftung greift auch für Vertreter, die keine rechtsgeschäftliche Vertretungsmacht besitzen.

Diese Haftung greift nur dann nicht, wenn das handelnde Vorstandsmitglied sich über eine im Vereinsregister eingetragene Haftungsbeschränkung hinweggesetzt oder offensichtlich außerhalb des Vereinszwecks gehandelt hat (siehe auch S. 20).

Schadenshaftung

Der Verein haftet für alle Schäden, die ein Vorstandsmitglied einem Dritten zufügt. Dies gilt jedoch nur, wenn der Schaden bei Ausübung des Vorstandsamtes verursacht wurde. Wenn das Vorstandsmitglied als Privatperson oder „nebenbei" einen Schaden angerichtet hat, haftet hierfür nicht der Verein! Der Verein haftet also nur dann für den Vorstand, wenn dieser in „amtlicher" Eigenschaft, eben als Vorstand, in Ausführung seiner Vereinsaufgaben und im Interesse des Vereins gehandelt hat.

Beispiel: Aufgabe des Vorstands ist es, Mitglieder der Jugendgruppe zu einer Veranstaltung zu fahren. Unterwegs verursacht er einen Unfall. Für den entstandenen Schaden haftet der Verein (§ 823 BGB).

Trägt das Vorstandsmitglied Mitschuld an dem Verkehrsunfall, kann der geschädigte Dritte diese Person neben dem Verein in Anspruch nehmen, er kann sich aussuchen, ob er den Verein oder den Schädiger oder beide gemeinsam in Anspruch nehmen will – die Schadenssumme erhält er natürlich nur einmal. Der Verein und das haftende Vorstandsmitglied müssen sich intern einigen, welche Schadenssumme jeweils übernommen wird. Hierfür gelten es folgende Grundsätze:

- Bei *leichtester Fahrlässigkeit* hat der Verein stets den gesamten Schaden zu tragen.
- Bei *Vorsatz oder grober Fahrlässigkeit* des Schadensverursachers hat dieser selbst den gesamten Schaden zu übernehmen.
- Bei *leichter oder mittlerer Fahrlässigkeit* ist der Schaden nach Billigkeit unter Abwägung aller Umstände zu verteilen. Beispielsweise ist zu berücksichtigen, ob die Vorstandstätigkeit ein besonders hohes Schadensrisiko birgt, ob eine besondere Einarbeitungszeit erforderlich ist oder ähnliches. Diese Regeln

stammen aus dem Arbeitsrecht und sind auch bei allen ArbeitnehmerInnen anwendbar.

!

Achtung! Die Haftungsaufteilung zwischen Verein und Vertreter kann von der Satzung bestimmt werden, die z.B. Vorstandsmitglieder von der Haftung bei *leichter* Fahrlässigkeit befreien kann oder die Vorstandshaftung gegenüber dem Verein grundsätzlich auf Vorsatz und grobe Fahrlässigkeit beschränkt. Auf jeden Fall sollte der Verein eine Betriebshaftpflichtversicherung abschließen, um solche Schäden abzudecken (siehe S. 151).

Wenn das Vorstandsmitglied bei einer Tätigkeit, die mit der Vorstandstätigkeit als solcher nichts zu tun hat, einen Schaden verursacht, haftet es für diesen Schaden selbst. Der Verein kann von der geschädigten Person nicht in Anspruch genommen werden.

zB.

Beispiel: Das Vorstandsmitglied soll Mitglieder einer Jugendgruppe mit dem Auto abholen. Unterwegs macht das Vorstandsmitglied einen *privaten* Abstecher, um einen Freund zu besuchen. Passiert auf dieser Strecke ein Unfall, haftet alleine das Vorstandsmitglied. Der Schaden kann von dem außenstehenden Dritten nicht gegen den Verein geltend gemacht werden.

Entsteht ein Schaden, weil der Verein fehlerhaft organisiert ist, haftet der Verein für den Schaden wegen *Organisationsverschuldens.*

zB.

Beispiel: Für ein wichtiges Aufgabengebiet, z.B. ein großes Einzelprojekt, wird kein von der Satzung bestimmter Vertreter (GeschäftsführerIn / eines der Vorstandsmitglieder / besonderer Vertreter) als verantwortliche, leitende Person eingesetzt. Statt dessen wird ein einfaches Vereinsmitglied beauftragt, sich eigenständig um dieses Projekt zu kümmern. Entsteht nun ein Schaden, weil im gemieteten Zweigstellenbüro mangels notwendiger Sicherheitsvorkehrungen ein Brand ausbricht, haftet der Verein für entstehende Schäden (sog. Organisationsmangel).

Der Verein haftet für alle Personen, denen ein *wichtiger* Aufgabenbereich übertragen wurde, sei es eine Geschäftsführerin mit selbstständiger Entscheidungsbefugnis oder die Vorsitzende einer rechtlich unselbstständigen Ortsgruppe des Vereins.

Der Verein kann sich nur dann ganz von Schadenshaftung freihalten, wenn er der verantwortlichen Person *keinen wichtigen*

Aufgabenbereich übertragen hat und obendrein nachweisen kann, dass die betreffende Person – z.B. ein Mitglied oder eine Angestellte, die wöchentlich eine Krabbelgruppe im Verein betreut – sorgfältig ausgesucht und überwacht wurde. Ähnlich verhält es sich etwa bei der Beauftragung eines Malers, die Mieträume des Vereins zu renovieren: Wird hierbei das Waschbecken des Vermieters zerstört oder die Kleidung eines Besuchers mit Farbe verschmiert, haftet der Verein dann nicht, wenn er nachweisen kann, dass der Maler sorgfältig ausgesucht und überwacht wurde.

Bei der Durchführung von Veranstaltungen muss der Veranstalter „Verein" dafür sorgen, dass er seinen so genannten Verkehrssicherungspflichten nachkommt, d.h. er ist verpflichtet alles zu unternehmen, um Teilnehmer vor Schäden zu bewahren. Das gilt auch, wenn die Veranstaltung in gemieteten Räumen stattfindet und der Vermieter die Verkehrssicherungspflichten auf den Veranstalter übertragen hat. Der Abschluss einer entsprechenden Haftpflichtversicherung ist dringend anzuraten. Diese Versicherung sollte sich nicht nur auf den veranstaltenden Träger (z.B. Verein) beziehen, sondern auch auf seine Organe und Mitarbeiter.

Wichtig ist es, einen Schaden sofort bei der Versicherung zu melden, um den Versicherungsschutz nicht zu gefährden.

Haftung für die Abführung der Lohnsteuer

Der Verein haftet als Arbeitgeber für die ordnungsgemäße Abführung der Lohnsteuer.

Bei Nichtabführung haften neben dem Verein die Vorstandsmitglieder oder Geschäftsführer, die durch grob fahrlässiges oder vorsätzliches Handeln die Nichtabführung verschuldet haben.

Bei Angestellten des Vereins wird die Lohnsteuer in der Regel ordnungsgemäß abgeführt werden. Probleme tauchen in Fällen auf, in denen freiberufliche Mitarbeiter entlohnt werden, die rechtlich als lohnsteuerpflichtige Arbeitnehmer einzustufen wären! Hierfür wird in den meisten Fällen eine Haftung des Vorstands, ebenso eines Geschäftsführers zu bejahen sein, in deren Verantwortung die ordnungsgemäße Einstufung liegt.

Über die Haftung des Vorstands urteilt der Bundesfinanzhof sehr streng: „Ein ehrenamtlich und unentgeltlich tätiger Vorsitzender eines Vereins, der sich als solcher wirtschaftlich betätigt und zur Erfüllung seiner Zwecke Arbeitnehmer beschäftigt, haftet für die Erfüllung der steuerlichen Verbindlichkeiten des Vereins grundsätzlich nach denselben Grundsätzen wie ein Geschäftsführer einer GmbH". In diesem Urteil wird darauf hingewiesen, dass Ehrenamtlichkeit nicht zu einem Haftungsausschluss im Falle einer Pflichtverletzung führt. Sind zudem mehrere Vorstandsmitglieder als gesetzliche Vertreter bestellt, ohne dass eine eindeutige schriftliche Zuständigkeitsverteilung vorliegt, hat jeder von ihnen die entsprechenden steuerlichen Pflichten zu erfüllen. Eine Haftungsbegrenzung aufgrund einer (schriftlichen!) Zuständigkeitsverteilung ist nur insofern wirksam, als kein Anlass besteht, an der sachgemäßen Erfüllung steuerlicher Verpflichtungen durch den bestimmten Vertreter zu zweifeln.

Daneben haftet natürlich der steuerpflichtige Mitarbeiter (hat er als Freiberufler Einkommensteuer abgeführt, wird diese angerechnet!). Wenn das Vereinsvermögen und das Privatvermögen der Haftenden zur Bezahlung der Lohnsteuer nicht ausreichen, wird das Gehalt der ArbeitnehmerInnen anteilig gekürzt. Die Lohnsteuer ist eine Steuerschuld des Arbeitnehmers und nicht des Vereins/Arbeitgebers!

Die Innenhaftung des Vorstands gegenüber dem Verein

Verursacht ein Vorstandsmitglied oder ein anderer Vertreter des Vereins einen Schaden, den der Verein aufgrund der oben ausgeführten Haftungsregeln zu tragen hat, entsteht die Frage, ob der Verein wiederum seinen Schaden vom Schadensverursacher zurückverlangen kann – die Frage der Innenhaftung.

Eine solche Haftung von Vorstandsmitgliedern entsteht, wenn sie die ihnen obliegenden Sorgfaltspflichten bei der Führung der Vereinsgeschäfte schuldhaft (vorsätzlich oder fahrlässig) verletzen. Die erforderliche Sorgfalt wird daran gemessen, wie eine gewissenhafte und ihrer Aufgabe gewachsene Person zu handeln pflegt.

zB.

Beispiel: Hat ein Vorstandsmitglied, das Mitglieder einer Jugendgruppe mit dem Auto fahren soll, unterwegs wegen Trunkenheit einen Verkehrsunfall verursacht, haftet zwar, wie oben erläutert, der Verein gegenüber geschädigten Dritten neben dem Fahrer. Da hier das Vorstandsmitglied seine Pflichten jedoch *grob fahrlässig* verletzt hat, hat die betreffende Person dem Verein den Schaden zu ersetzen, den er aus Inanspruchnahme des Dritten erlitten hat. War der Fahrer mit einem PKW des Vereins unterwegs, sind dem Verein auch die an diesem Kfz entstandenen Schäden zu ersetzen.

Die Umstände des Einzelfalls, insbesondere Art und Größe des Vereins, der Vereinszweck, auch z.B. das Vorhandensein eines wirtschaftlichen Nebenbetriebs des Vereins, sind bei der Abwägung zu berücksichtigen, ob durch Verschulden des Vorstands – fahrlässiges oder vorsätzliches Handeln – ein Schaden entstanden ist.

Achtung: Eine Person, die ein Vorstandsamt übernommen hat, kann sich nach Verursachung eines Schadens in der Regel nicht auf mangelnde Erfahrung, mangelnde Kenntnis oder mangelnde Fähigkeiten berufen. Wer ein solches Amt übernimmt, gibt dadurch zu verstehen, dass er zur Ausfüllung des Amtes in der Lage ist und die notwendige Sachkenntnis besitzt.

Auf jeden Fall haftet, wer von einem Beschluss der Mitgliederversammlung abweicht und dadurch einen Schaden verursacht. Führt der Vorstand die Bücher bzw. die Kasse fehlerhaft und entsteht dadurch ein Schaden, z.B. Kassenfehlbestand, hat die verantwortliche Person den Schaden zu ersetzen. Handelt es sich um einen großen, mitgliederstarken und verzweigten Verein, der möglicherweise noch einen wirtschaftlichen Nebenbetrieb unterhält, kann der Vorstand verpflichtet sein, fachkundiges Personal für die Buchführung einzustellen oder ein Steuerbüro zu beauftragen, um die ordnungsgemäße Buchführung und Steuererklärung zu gewährleisten. Trotzdem muss er die Ausführung dieser Tätigkeiten regelmäßig kontrollieren.

Achtung: Das Haftungsrisiko des Vorstands lässt sich verringern, indem die Haftung in der Satzung auf Vorsatz und grobe Fahrlässigkeit beschränkt wird und/oder eine entsprechende Haftpflichtversicherung (Vermögensschaden- oder Diensthaftpflichtversicherung) für die Organe des Vereins abgeschlossen wird.

Was tun, wenn sich wegen des Haftungsrisikos kein Vorstand findet?

In der Praxis zeigt sich dieses Problem immer häufiger. Eine Alternative zur Haftungsminimierung, die sich bei Vereinen mit hauptamtlichem Geschäftsführer anbietet, kann folgendermaßen aussehen:

Die hauptamtliche Geschäftsführung wird zum vertretungsberechtigten Vorstand nach §26 BGB gewählt.

Der bisherige ehrenamtliche Vorstand wechselt in einen satzungsmäßig einzurichtenden Aufsichtsrat (nicht zu verwechseln mit einem gesetzlich vorgeschriebenen Aufsichtsrat bei Aktiengesellschaften), der die Überwachungsfunktion der bisherigen Geschäftsführung übernimmt, ohne aber dem Haftungsrisiko eines Vorstands ausgesetzt zu sein. Es ist auch möglich, die Wahl und Abberufung des Vorstands dem besagten Aufsichtsrat zu übertragen, dies muss entsprechend satzungsmäßig vorher geregelt werden.

Ausgangssituation	···→	**Lösungsalternative**
Ehrenamtlicher Vorstand (Organhaftung)	wird zum	Aufsichtsrat (keine Organhaftung)
Hauptamtliche Geschäftsführung, vom Vorstand eingestellt	wird zum (wenn entsprechende Satzungsänderungen vorgenommen worden sind)	Geschäftsführenden hauptamtlichen Vorstand (Organhaftung) vom Aufsichtsrat gewählt und eingestellt
Rein arbeitsvertragliche Beziehung Verein – Geschäftsführung		Sowohl dienstvertragliche als auch organschaftliche Rechtsbeziehung zwischen Verein und geschäftsführendem Vorstand (es kann das Ruhen des alten Arbeitsvertrags vereinbart werden)

Eine weitere Satzungsänderung muss eine entgeltliche Tätigkeit des Vorstands ermöglichen!

Entlastung des Vorstands

Üblicherweise wird der Vorstand durch die Mitgliederversammlung am Ende der Amtszeit oder am Ende des Geschäftsjahres entlastet.

Durch die Entlastung verzichtet der Verein auf die Geltendmachung von Schäden, die ihm durch Handlungen des Vorstands im betreffenden Zeitraum entstanden sind oder entstanden sein könnten. Dies betrifft ausschließlich solche Schadensersatz- oder Bereicherungsansprüche (z.B. zu hohe Pauschalaufwendungen entnommen), die bei Ausspruch der Entlastung der Mitgliederversammlung bekannt waren oder bei sorgfältiger Prüfung der Unterlagen hätten bekannt sein können. Die Entlastung vernichtet also nicht solche Ersatzansprüche des Vereins, für die sich weder aus dem Rechenschaftsbericht des Vorstands noch aus einem etwaigen Prüfungsbericht von Revisoren ein Anhaltspunkt ergab.

Beispiel: Wurde ein Vorstandsmitglied für das Geschäftsjahr 2000 entlastet, stellt sich aber später heraus, dass er in diesem Zeitraum mittels gefälschten Belegen Beträge aus der Kasse unterschlagen hat, kann der Verein trotz Entlastung gegen die betreffende Person vorgehen. Auch wenn ein Kassenprüfer die Unterschlagung erkannt, dies der Mitgliederversammlung jedoch nicht mitgeteilt hat, geht der Ersatzanspruch nicht verloren.

Es gibt keinen gerichtlich durchsetzbaren Anspruch auf Entlastung. Erst wenn vom Verein (Mitgliederversammlung) konkrete Ersatzansprüche gestellt werden, kann das betroffene Vorstandsmitglied sich durch gerichtliche Klage zur Wehr setzen.

Die Stellung des Geschäftsführers / der Geschäftsführerin

Nach dem Gesetz obliegt die Geschäftsführung alleine dem Vorstand. Der Vorstand kann jedoch im Rahmen seiner Geschäftsführung jederzeit einzelne Geschäfte durch Vollmacht auf andere Personen übertragen oder Hilfspersonal einstellen.

Der Verein haftet für Handlungen eines Geschäftsführers / einer Geschäftsführerin ebenso wie für Handlungen von Vorstandsmitgliedern (entsprechend § 31 BGB, siehe S. 24f.). Die Vergabe einer Generalvollmacht ist unzulässig.

Der Vorstand kann nicht die Haftung durch Einstellung eines besonders zuverlässigen und sorgfältigen Geschäftsführers auf diesen alleine überwälzen!

Es gibt drei mögliche rechtliche Konstruktionen für eine/n Geschäftsführer/in:

a) Geschäftsführer/in als so genannte/r besondere/r Vertreter/in gemäß § 30 BGB

Diese Möglichkeit muss in der Satzung verankert sein. Formulierungsbeispiel: „Der Vorstand ist berechtigt, zur Führung der laufenden Verwaltung eine/n Geschäftsführer/in als besondere/n Vertreter/in gemäß § 30 BGB zu bestellen." Der/die Geschäftsführer/in ist in diesem Fall ins Vereinsregister einzutragen.

b) Vorstandsmitglied als Geschäftsführer/in

Diese Alternative kann sowohl ehrenamtlich als auch hauptamtlich (mit Gehalt) ausgestaltet werden. Die Möglichkeit der Zahlung einer Vergütung an den Vorstand muss in der Satzung verankert sein (siehe S. 22).

c) Rechtsgeschäftliche Vollmachterteilung durch Vorstand.

Hier ist ebenfalls eine Satzungsgrundlage zu schaffen, nach der der Vorstand berechtigt ist, zur Erledigung der laufenden Verwaltungsaufgaben eine Geschäftsstelle unter der Leitung eines/r Geschäftsführers/in einzurichten. Siehe auch Geschäftsführervertrag auf CD-ROM.

Die Geschäftsordnung

Jedes Vereinsorgan kann für seinen Geschäftsbereich eine Geschäftsordnung aufstellen. In der Geschäftsordnung dürfen keine Angelegenheiten geregelt werden, die in der Satzung geregelt werden müssen, sie darf auch nicht im Widerspruch zur Satzung stehen.

Der Vorstand kann z.B. in seiner Geschäftsordnung die Ressorts zwischen den Vorstandsmitgliedern verteilen (wenn dies nicht in der Satzung geregelt ist) oder die Tätigkeit der Geschäftsstelle des Vereins regeln.

Beispiel einer Aufgabenverteilung Vorstand/Geschäftsführung auf CD-ROM.

Die (Un-)Wirksamkeit von Vereinsbeschlüssen

Beschlüsse des Vereins oder der Mitgliederversammlung werden grundsätzlich zum Zeitpunkt der Beschlussfassung wirksam.

Ausnahme sind satzungsändernde Beschlüsse, die erst mit der Eintragung ins Vereinsregister wirksam werden (§ 71 BGB). Die Wahl einer Person wird erst mit Annahme durch die gewählte Person wirksam (deshalb immer in Versammlungsprotokolle die Annahme der Wahl durch die gewählte Person mit aufnehmen).

Vereinsbeschlüsse können aus sachlichen Gründen, wie Verstoß gegen gesetzliche Vorschriften oder Grundnormen der eigenen Satzung, unwirksam sein.

Häufiger ist das Problem der Unwirksamkeit von Vereinsbeschlüssen aus formellen Gründen wie Einberufungsmängeln (z.B. Einberufung der Mitgliederversammlung durch ein unzuständiges Organ / ohne ordnungsgemäße Mitteilung der Tagesordnung / Nichtladung eines Teils der Mitglieder) oder Mitwirkung nicht stimmberechtigter Personen.

Die Folge solcher Verstöße ist die Nichtigkeit des Beschlusses. Bei formellen Mängeln bleibt der Beschluss jedoch wirksam, wenn der Verein nachweisen kann, dass der Beschluss auch ohne den Verfahrensverstoß gefasst worden wäre.

zB.

Beispiel: Der Verein hat zwanzig Mitglieder, fünf wurden versehentlich nicht eingeladen. Wurde der Beschluss mit einer Mehrheit von zwölf Stimmen bei fünfzehn Anwesenden gefasst, hätte sich auch bei Anwesenheit weiterer fünf Personen eine Mehrheit für den gefassten Beschluss ausgesprochen.

Bei Verstoß gegen Verfahrensvorschriften, die nicht übergeordneten Interessen, sondern dem Schutz einzelner Mitglieder dienen, ist der Beschluss zunächst wirksam. Widerspricht das in seinen Rechten verletzte Mitglied dem Beschluss in angemessener Frist, tritt die Nichtigkeit ein (z.B. bei versehentlicher Nichtladung eines einzelnen Mitglieds).

Ein Beschluss ist auch dann wirksam, wenn er nicht protokolliert wurde. Das Versammlungsprotokoll dient lediglich Beweiszwecken.

Schiedsvereinbarung

Durch eine Schiedsvereinbarung in der Satzung werden die Streitparteien bei Vereinszerwürfnissen gezwungen, zunächst ein vereinsinternes Schiedsgericht anzurufen. Es ist ihnen verwehrt, sich vor Abschluss des Schiedsverfahrens an die staatlichen Gerichte zu wenden, deren Verfahren zeitraubend und kostspielig sind.

Die Schiedsvereinbarung muss in der Satzung geregelt werden; Ein einfacher Mitgliederversammlungsbeschluss ist nicht ausreichend. Die Satzung muss die Zusammensetzung des Schiedsgerichts, Auswahl und Bestellung der SchiedsrichterInnen regeln und eine Schiedsklausel enthalten, die festlegt, welche Streitigkeiten (zwischen Mitgliedern / zwischen Verein und Mitgliedern / zwischen Organen / zwischen Organen und Mitgliedern) dem Schiedsverfahren unterworfen werden.

Ein Schiedsgericht soll gebildet werden, indem die beiden Streitparteien jeweils einen Vertreter in das Schiedsgericht als Beisitzer entsenden. Die/der von diesen beiden zu benennende Vorsitzende sollte das zweite juristische Staatsexamen abgelegt haben. Denn: Falls das Schiedsverfahren nach bestimmten formalen Regeln abläuft (die meist nur Juristen kennen), kann die Entscheidung des Schiedsgerichts vom Amtsgericht bestätigt und anschließend nicht mehr angefochten werden – dies bedeutet eine erhebliche Zeitersparnis, da bekanntermaßen die Mühlen der Justiz langsam mahlen.

Wird eine Schiedsklausel nachträglich durch Mehrheitsbeschluss in der Mitgliederversammlung in die Satzung eingefügt, kann diese

Schiedsklausel einem bereits vorher eingetretenem Mitglied nicht entgegengehalten werden, wenn es der Satzungsänderung nicht zugestimmt hat (lt. BGH, 3.4.2000 – II ZR 373/98).

Auf der CD-ROM findet sich ein Muster für eine solche Schiedsvereinbarung. Sie kann zum Bestandteil der Satzung gemacht werden, indem als letzte Satzungsbestimmung angefügt wird: „Die anliegende Schiedsvereinbarung ist Bestandteil dieser Satzung".

Vereinsgründung

Die folgenden Gründungsformalitäten gelten in diesem Umfang nur für den eingetragenen und damit rechtsfähigen Verein, den so genannten e.V. (zur Rechtsfähigkeit siehe S.15f.):

- Es sind mindestens *sieben* Personen nötig. Minderjährige bedürfen zur Teilnahme der schriftlichen Zustimmung ihrer gesetzlichen Vertreter.
- Es ist eine Gründungsversammlung abzuhalten.
- Auf dieser Gründungsversammlung muss eine schriftliche *Satzung* beschlossen werden. (Eine Beispielsatzung finden Sie auf der CD-ROM).
- Die Satzung muss von mindestens sieben Gründungsmitgliedern unterschrieben werden.
- Auf derselben Versammlung müssen die Organe des Vereins nach den Vorschriften der gerade beschlossenen Satzung gewählt werden.
- Über die Wahl *muss* ein *Protokoll* angefertigt werden und vom vorher gewählten Versammlungsleiter und dem Protokollführer unterschrieben werden (Beispielprotokoll siehe CD-ROM).
- Falls die Mitgliederversammlung (laut Satzung) über die Höhe des Mitgliedsbeitrags beschließen soll, muss die Höhe ebenfalls im Protokoll erfasst werden.
- Der Vorstand muss den Verein zur Eintragung in das Vereinsregister beim zuständigen Amtsgericht (Registergericht) schriftlich anmelden (Beispiel siehe CD-ROM). Dieser Antrag muss von allen vertretungsberechtigten Vorstandsmitgliedern unterzeichnet sein; dabei sind *Name, Sitz und Anschrift des Vereins, der Tag*

der Errichtung der Satzung und Name, Beruf und Anschrift der Vorstandsmitglieder anzugeben (§ 59 BGB).

– Die Unterschriften des Vorstands müssen öffentlich beglaubigt sein; dies geschieht durch persönliches Erscheinen und Vorlage des Personalausweises/Reisepasses beim Notar.

In der Regel reicht danach der Notar eine Anmeldung mit den beglaubigten Unterschriften und Unterlagen beim Registergericht (Amtsgericht) ein.

Der Anmeldung sind folgende Unterlagen beizufügen:

1. *Originalsatzung und Abschrift*. Mindestinhalt:
   - Zweck, Name und Sitz des Vereins
   - Absicht der Eintragung in das Vereinsregister
   - Regelung über Ein- und Austritt von Mitgliedern
   - Regelung der Bildung des Vorstands
   - Regelung über Mitgliedsbeiträge
   - Voraussetzungen und Form der Einberufung der Mitgliederversammlung sowie der Dokumentation gefasster Beschlüsse.

   Die Satzung muss von mindestens sieben Mitgliedern unterschrieben und der Gründungstag vermerkt sein.
2. *Gründungsprotokoll*. Mindestinhalt:
   - Ort und Zeitpunkt der Versammlung
   - Zahl der anwesenden Mitglieder
   - Feststellen der satzungsmäßigen Einberufung
   - Tagesordnung
   - Bezeichnung von Versammlungsleiter und Protokollführer
   - Feststellung der Beschlussfähigkeit der Mitglieder, d.h. es müssen mindestens sieben Mitglieder anwesend sein
   - Beschlüsse zu folgenden Tagesordnungspunkten (inkl. Art und zahlenmäßigem Ergebnis von Abstimmungen):
     - Beratung und Annahme der Satzung
     - Vorstandswahl
     - Festsetzung der Mitgliedsbeiträge, falls nicht in der Satzung festgelegt.
     - Unterzeichnung des Protokolls gemäß der Satzungsbestimmung

Spätere Änderungen in der Vereinssatzung und in der Zusammensetzung des Vorstandes müssen jeweils im Vereinsregister eingetragen werden. Bleibt es beim bisherigen Vorstand, genügt die Übersendung einer Protokollabschrift direkt an das Registergericht (Amtsgericht). Bei Änderungen innerhalb des Vorstands ist die Anmeldung mit der Beglaubigung der Unterschriften über einen Notar notwendig. Beispiele für solche Mitteilungen finden Sie auf der CD-ROM.

Verfolgt der Verein gemeinnützige Zwecke, sind Steuererleichterungen möglich. Die Anerkennung der Gemeinnützigkeit muss beim Finanzamt für Körperschaften beantragt werden und kann erfolgen, wenn die Vereinssatzung ausschließlich als steuerbegünstigt anerkannte Zwecke enthält. Auch für diesen Antrag finden Sie ein Beispiel auf der CD-ROM.

Für neu gegründete Vereine gibt es eine so genannte *vorläufige Bescheinigung* über die Gemeinnützigkeit.

Die Gemeinnützigkeit von Vereinen ist in der Abgabenordnung von 1977 im dritten Abschnitt, §§ 51–68, geregelt. Diesen Gesetzestext finden Sie auf der CD-ROM. Es empfiehlt sich, bereits vor dem Antrag auf Anerkennung der Gemeinnützigkeit zu prüfen, ob die Satzung diesen gesetzlichen Voraussetzungen entspricht. Dies lässt sich mit dem zuständigen Sachbearbeiter des Finanzamtes für Körperschaften vorklären. Es sollte auf jeden Fall in der Phase der Satzungsgestaltung und noch *vor* Stellung des Eintragungsantrages beim Registergericht (Amtsgericht) geschehen. Andernfalls fallen ein zweites Mal Gebühren an.

Ein eingetragener Verein kann auch ein Gewerbe betreiben, das beim Ordnungsamt anzumelden ist. In der Regel stellt dies einen so genannten *wirtschaftlichen Geschäftsbetrieb* dar, das heißt, eine selbstständige Tätigkeit, durch die Einnahmen oder andere wirtschaftliche Vorteile erzielt werden (z.B. ein Café in einem Jugendzentrum), unter bestimmten Voraussetzungen kann es aber auch ein steuerbegünstigter so genannter Zweckbetrieb sein. Dies wird ausführlich im Kapitel *Steuern* behandelt.

Zur Gründung eines eingetragenen Vereins ist kaum Kapital nötig; geringe Kosten fallen an durch die notwendige Beglaubigung des Notars (Kosten ca. 20,- €) und durch die Eintragung in das Vereinsregister (Eintragungskosten 60,- € bei Vereinsvermögen bis 2.500,- € plus Schreibauslagen und Veröffentlichungskosten).

Diese Kosten ermäßigen sich, wenn der Verein gemeinnützig sein soll. Der Antrag auf Ermäßigung sollte gleichzeitig mit dem Antrag auf Eintragung ins Vereinsregister gestellt werden.

Der *gemeinnützige* Verein ist verpflichtet, sich beim Finanzamt anzumelden und alle drei Jahre durch Übersendung eines Jahreswirtschaftsberichts – manchmal genügt eine aussagefähige Einnahmen-/Ausgabenrechnung – seine Aktivitäten zu belegen (in Ausnahmefällen kann diese Frist verkürzt werden). Ist der Verein steuerpflichtig, sind diese Unterlagen jährlich einzureichen. (Zur Steuerpflicht siehe Kapitel Steuern, zur E/A-Rechnung siehe Kapitel *Buchhaltung*.)

Haben sich keine Beanstandungen ergeben, so erteilt das Finanzamt einen *Steuerfreistellungsbescheid*, welcher die amtliche Bestätigung für die Gemeinnützigkeit ist; dies erfolgt in der Regel alle drei Jahre und gilt nur rückwirkend.

Liquidation und Insolvenz

Wer sich gerade mit dem Gedanken trägt, einen Verein zu gründen, wird dieses Kapitel sicher schnell überblättern, für altgediente Vereinshasen können jedoch folgende Hinweise den einen oder anderen Fehler vermeiden helfen.

Einem Verein stehen zwei Möglichkeiten offen, um sein Ende zu beschließen. Die erste Möglichkeit ist die der Liquidation, was nichts anderes heißt, als dass eine – in der Regel in der Satzung bestimmte Mehrheit – beschließt, den Verein aufzulösen. Ein bestimmter Grund zur Auflösung ist nicht notwendig, allein der Wille ist entscheidend.

Im Gegensatz dazu handelt es sich bei der Insolvenz um eine unfreiwillige Beendigung des Vereins, wobei sowohl die Vereinsvertreter (Vorstand) selbst als auch Gläubiger bei berechtigtem Interesse Insolvenz anmelden können.

Liquidation

Falls ein Verein bzw. seine Mitglieder sich nicht mehr in der Lage sehen (Mitgliederschwund o.ä.), den Zweck des Vereins zu verwirklichen, kann eine Auflösung erforderlich sein. Spätestens wenn die Mitgliederzahl unter drei sinkt, ist sie zwingend.

In den meisten Fällen wird der Vorstand selbst die Liquidation durchführen; die Mitgliederversammlung kann aber auch andere Personen als Liquidatoren wählen. Ist der Verein selbst – aus welchen Gründen auch immer – nicht in der Lage, selbst die Liquidation durchzuführen, wird vom zuständigen Amtsgericht hierfür jemand bestimmt.

Die Mitgliederversammlung muss mit 3/4-Mehrheit über die Auflösung des Vereins beschließen, wenn die Satzung keine andere Regelung enthält (§ 41 BGB). Der Auflösungsbeschluss ist ins Vereinsregister einzutragen. In der Mitgliederversammlung müssen die Liquidatoren gewählt werden – und zwar nach den gleichen Regeln, nach denen der Vorstand gewählt wird. Die Liquidatoren bilden den Vorstand des aufzulösenden Vereins und sind dafür verantwortlich, dass alle Geschäfte des Vereins beendet werden, also z.B. Mietverträge gekündigt, Forderungen eingezogen, Schulden beglichen und Vermögenswerte verkauft werden.

Was nach der Liquidation an Vermögen übrig ist, fällt an die in der Satzung bestimmte Person oder Institution, oder es erfolgt eine nachträgliche Bestimmung durch die Mitgliederversammlung (§ 45 BGB).

Der Verein besteht also nach dem Auflösungsbeschluss zunächst als Liquidationsverein fort und erlischt erst nach Beendigung der Liquidation. Das Erlöschen wird, ebenso wie der Auflösungsbeschluss, in das Vereinsregister eingetragen.

Insolvenzverfahren

In Zeiten radikaler Streichungen, Sparmaßnahmen und verspäteter Zahlungen durch öffentliche Geldgeber geraten immer mehr Vereine in eine bedrohliche finanzielle Situation. Um für den schlimmsten Fall gerüstet zu sein, ist es für Vereine wichtig, die gesetzlichen Grundlagen eines dann anstehenden Insolvenzverfahrens zu kennen.

Neben den grundsätzlichen Pflichten, einen Haushaltsplan zu erstellen, für eine ordnungsgemäße Buchhaltung zu sorgen und Rechenschaft gegenüber der Mitgliederversammlung abzulegen, ergibt sich aus dem Gesetz unmittelbar für den Vorstand die Verpflichtung, rechtzeitig – d.h. wenn ein Insolvenzgrund vorhanden ist – Insolvenzantrag zu stellen.

Wann ist ein Insolvenzgrund gegeben?
Mit Insolvenzgrund bezeichnet man die finanzielle Verfassung, in der sich der potentielle Schuldner (in unserem Fall der Verein, über dessen Vermögen das Insolvenzverfahren eröffnet werden soll) befinden muss, damit eine Eröffnung erfolgen kann. Als Gründe kommen Zahlungsunfähigkeit und Überschuldung des Vereins in Betracht (§ 42 Abs. 2 Satz 1 BGB).

Zahlungsunfähigkeit
Nach § 17 Abs. 2 der Insolvenzordnung, ist unter folgender Voraussetzung Zahlungsunfähigkeit gegeben: „Der Schuldner ist zahlungsunfähig, wenn er nicht in der Lage ist, die fälligen Zahlungspflichten zu erfüllen. Zahlungsunfähigkeit ist in der Regel anzunehmen, wenn der Schuldner seine Zahlungen eingestellt hat."

Ein Schuldner, sprich in unserem Falle der Verein selbst, kann ebenfalls unter der Voraussetzung drohender Zahlungsunfähigkeit Insolvenz anmelden: „Der Schuldner droht zahlungsunfähig zu werden, wenn er voraussichtlich nicht in der Lage sein wird, die bestehenden Zahlungspflichten im Zeitpunkt der Fälligkeit zu erfüllen" (§ 18 Abs. 2 Insolvenzordnung).

Nach § 18 Abs. 3 Insolvenzordnung gilt ergänzend: „Wird bei einer juristischen Person oder einer Gesellschaft ohne Rechtspersönlichkeit der Antrag nicht von allen Mitgliedern des Vertretungsorgans, allen persönlich haftenden Gesellschaftern oder allen Abwicklern gestellt, so ist Absatz 1 nur anzuwenden, wenn der oder die Antragsteller zur Vertretung der juristischen Person oder der Gesellschaft berechtigt sind".

Überschuldung
Ein weiterer Insolvenzgrund neben der Zahlungsunfähigkeit ist die rechtliche Überschuldung des Vereins nach § 19 Insolvenzordnung:

„Überschuldung liegt vor, wenn das Vermögen des Schuldners die bestehenden Verbindlichkeiten nicht mehr deckt. Bei der Bewertung des Vermögens des Schuldners ist jedoch die Fortführung des Unternehmens zugrunde zu legen, wenn diese nach den Umständen überwiegend wahrscheinlich ist.“ Unter Vermögen sind die Aktiva der Bilanz zu verstehen, z.B. Fahrzeuge, Immobilien, Betriebs- und Geschäftsausstattung, Forderungen, Bank- und Kassenbestände.

Was ist zu beachten?
Im Fall der Überschuldung und der Zahlungsunfähigkeit ist der Vorstand den Gläubigern gegenüber verpflichtet, die Eröffnung des Insolvenzverfahrens zu beantragen (§ 42 Abs. 2 BGB), und zwar bei dem Amtsgericht des Vereinssitzes, dies erfolgt durch einen formlosen Antrag. Die Vorstandsmitglieder sind für den Fall einer schuldhaften Verzögerung des Antrags den Gläubigern für den daraus entstandenen Schaden als Gesamtschuldner verantwortlich, und zwar auch den Gläubigern, die nach Eintritt der Überschuldung hinzugekommen sind. Das heißt, in den Fällen einer schuldhaften Verzögerung haften die Vorstände mit ihrem Privatvermögen. Gesamtschuldnerische Haftung heißt, dass, falls ein Vorstandsmitglied nicht in der Lage ist, seinen Anteil des Schadens zu begleichen, der restliche Vorstand auch für diesen Teil haftet.

Dies gilt natürlich nicht für die Vorstandsmitglieder, denen notwendige Informationen vorenthalten wurden, wenn der Schatzmeister z.B. wissentlich oder aus Dummheit falsche Zahlen vorlegt. Geraten mehrere Vorstandsmitglieder in die Haftung, können die Gläubiger wahlweise gegen einzelne oder alle vorgehen. Der Schaden muss dann intern zwischen den haftenden Vorstandsmitgliedern aufgeteilt werden. Im Zweifel, wenn also alle gleichermaßen die Insolvenzanmeldung unter Kenntnis der „roten Zahlen“ hinausgezögert haben, wird die Schadenssumme nach Köpfen zu verteilen sein.

Der Vorstand muss bei der Beantragung der Insolvenz eine Vermögensübersicht sowie eine Aufstellung der Gläubiger und Schuldner vorlegen.

Neben dem sog. Gemeinschuldner (Verein) kann gleichfalls jeder Gläubiger einen Insolvenzantrag stellen. Der Gläubiger muss

VEREINSRECHT STEUERN BUCHHALTUNG ARBEITSRECHT ZUWENDUNGSRECHT VERSICHERUNG ANHANG

dabei seine Forderung und die Zahlungsunfähigkeit des Vereins glaubhaft machen, z.B. durch ein sog. „Fruchtlosigkeitszeugnis“ eines Gerichtsvollziehers.

Was sind die Folgen?
Wenn der Antrag zur Insolvenzeröffnung gestellt worden ist, nach Prüfung des Sachverhalts ein entsprechender Insolvenzgrund vorliegt und der Richter den Eröffnungsbeschluss zum Insolvenzverfahren unterschrieben hat, ergeben sich erhebliche Folgen:

– Rechtsfähigkeit
Durch Insolvenz geht die Rechtsfähigkeit verloren, und zwar mit der Eröffnung des Insolvenzverfahrens (§ 42 Abs. 1 BGB). Der Verlust der Rechtsfähigkeit bedeutet, dass der eingetragene Verein nicht mehr als juristische Person agieren kann (vgl. S. 11 f.). Der Verlust der Rechtsfähigkeit hat außerdem die Auflösung des Vereins zur Folge. Die Auflösung (Liquidation) findet auch dann statt, wenn der Insolvenzantrag mangels Masse (mangels Vereinsvermögen) abgelehnt wurde.

Trotz des Verfahrens bleiben alle Vereinsorgane, insbesondere der Vorstand und die Mitgliederversammlung bestehen. Das Verwaltungs- und Verfügungsrecht über das vom Insolvenz erfasste Vereinsvermögen steht jedoch dem Insolvenzverwalter zu. Der Vorstand ist außerdem verpflichtet, dem Insolvenzverwalter und dem Gläubigerausschuss Auskunft, z.B. über die Insolvenzgründe, zu geben. Die Vereinsorgane existieren also weiter, dürfen aber keine vermögensrelevanten Entscheidungen mehr treffen.

– Schadensersatzpflicht
Besonders wichtig ist es, so früh wie nur irgend möglich zu erkennen, wann dem Verein eine Insolvenz droht. Grundsätzlich kann der Vorstand – im Gegensatz zum Geschäftsführer eines Wirtschaftsbetriebes – mit festen Größen für einen bestimmten Zeitraum kalkulieren. Ein intaktes Rechnungswesen, eine gründliche Finanzplanung und die regelmäßige Überprüfung der veranschlagten Kosten helfen dem Vorstand, eine Überschuldung des Vereins rechtzeitig zu erkennen. Das ist insofern wichtig, als eine Verzögerung der

Antragstellung eine Schadensersatzpflicht derjenigen Mitglieder des Vorstands begründet, die daran ein Verschulden tragen.

Die Umwandlung von Vereinen

Es kann unterschiedliche Gründe für die Umwandlung eines Vereins geben. Ein dauerhafter Mitgliederschwund kann beispielsweise die Zusammenlegung bzw. Verschmelzung zweier sonst nicht existenzfähiger Vereine sinnvoll erscheinen lassen. Aber auch vielbeschworene Synergieeffekte, höhere Auslastung von Sportanlagen

Kurzcheck vor Umwandlung

Merkmale	GmbH	eingetragener Verein
	Vorteile gegenüber e.V.	
Zielsetzung	kann jeder gesetzlich zulässige Zweck sein, d.h. kann auch rein wirtschaftlich tätig sein.	ein ideeller Zweck (§ 21 BGB) muss bestimmt sein, eine wirtschaftliche Betätigung ist nur im Rahmen des Nebenzweckprivilegs möglich oder als Wirtschaftsverein nur aufgrund staatlicher Zulassung)
Mindest-gründerzahl	nur eine (natürliche oder juristische) Person	mindestens sieben (natürliche oder juristische) Personen
beschließendes Organ, dient damit der Willensbildung	Gesellschafterversammlung i.d.R. übersichtlicher Personenkreis, meist eine schnellere Entscheidungsfindung möglich	Mitgliederversammlung, Entscheidungsfindung ist oft schwerfällig
Haftung	Die (häufig) angestellte Geschäftsführung haftet bei Verschulden	i.d.R. haftet der meist ehrenamtliche Vorstand bei Verschulden

	Nachteile gegenüber e.V.	
Gründungs-kosten	höhere Gründungskosten ca. 1.000 €, abhängig von der Höhe des Stamm-kapitals (Gesellschafts-steuer, Notargebühren, Registerkosten, Kosten der Veröffentlichung)	ca. 60 €
Eigenkapital	Geschäftsguthaben (mind. 25.000 € Stammkapital nötig)	Vereinsvermögen (kein Mindestkapital notwendig)
Wechsel von Mitgliedern/ Gesellschaftern	Eintragung im Register-gericht notwendig	Nicht eintragungspflichtig (unaufwändiger Wechsel)
Buchhaltung/ Publizitäts-pflichten	Doppelte Buchführung für Kapitalgesellschaften gelten in Abhängigkeit von der Größenklasse, umfangreiche Offenle-gungs- und Prüfungs-pflichten, stellen daher an die Geschäftsführung höhere Anforderungen	geordnete Aufzeich-nungen genügen (§22UStG, §66aUStDV, §64AO) wesentlich weniger zeit- und finanzaufwändig
Gesetzes-grundlagen	GmbHG, HGB, BGB die gesetzliche Vorgaben sind wesentlich umfang-reicher, weitgehende Pflich-ten des Geschäftsführers	BGB
Umwandlung	Kann nicht in Verein umge-wandelt werden	Kann in GmbH umgewan-delt werden. Ein vermögender Verein kann risikobehaftete Akti-vitäten auf eine GmbH auslagern. Vorteil der Risikobeschränkung auf das Stammkapital.

oder Vereinsräumen, bessere Marketingmöglichkeiten usw. können Gründe für eine Umwandlung sein.

Seit dem 01.01.1995 gibt es das Umwandlungsgesetz (UmwG), das die Umwandlung verschiedener Rechtsformen (auch von Vereinen) regelt.

Danach werden vier Arten unterschieden (§1 UmwG):

(1) Rechtsträger mit Sitz im Inland können umgewandelt werden

1. durch Verschmelzung;
2. durch Spaltung (Aufspaltung, Abspaltung, Ausgliederung);
3. durch Vermögensübertragung;
4. durch Formwechsel.

Bei einer Umwandlung ist die Kompatibilität der Vereinssatzungen zu beachten und die Einhaltung steuerrechtlicher Bestimmungen.

Die Verschmelzung

Bei einer Verschmelzung tritt ein übernehmender Rechtsträger (z.B. Verein) eine so genannte Gesamtrechtsnachfolge an, d.h. er übernimmt alle Rechte (Vermögen) und Pflichten (Verträge/Schulden) der übertragenden Vereine. Die Verschmelzung (1.) kann auf zweierlei Wegen erreicht werden (§2 UmwG):

1. im Wege der Aufnahme durch Übertragung des Vermögens eines Rechtsträgers oder mehrerer Rechtsträger (übertragende Rechtsträger) als Ganzes auf einen anderen bestehenden Rechtsträger (übernehmender Rechtsträger) oder
2. im Wege der Neugründung durch Übertragung der Vermögen zweier oder mehrerer Rechtsträger (übertragende Rechtsträger) jeweils als Ganzes auf einen neuen, von ihnen dadurch gegründeten Rechtsträger gegen Gewährung von Anteilen oder Mitgliedschaften des übernehmenden oder neuen Rechts-

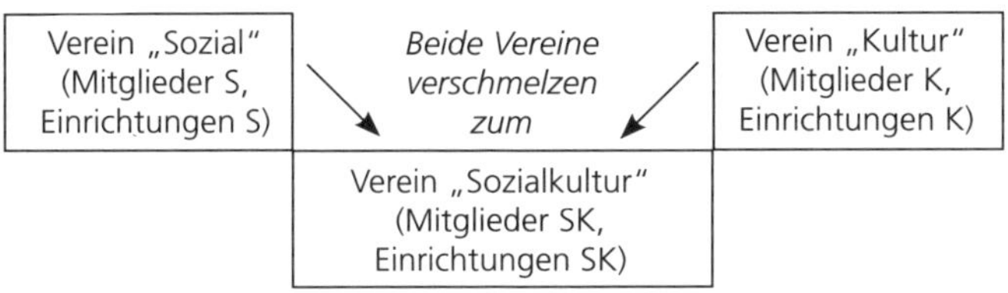

trägers an die Anteilsinhaber (Gesellschafter, Partner, Aktionäre, Genossen oder Mitglieder) der übertragenden Rechtsträger.

Bei der Verschmelzung nach 2. passiert folgendes:
Sowohl bei der Aufnahme als auch bei der Neugründung erhalten die Mitglieder der übertragenden Vereine Mitgliedschaftsrechte an dem neuen bzw. übernehmenden Rechtsträger (Verein). Mit der Eintragung der Verschmelzung in das für den übernehmenden bzw. neu gegründeten Rechtsträger zuständige Register erlöschen nach § 20 UmwG die übertragenden Rechtsträger ohne Auflösung.

In § 8 UmwG ist geregelt, dass die Vertretungsorgane jedes der an der Verschmelzung beteiligten Rechtsträger (der Vereine) einen ausführlichen schriftlichen Bericht zur Verschmelzung zu erstatten haben. Ein solcher Bericht ist nicht notwendig wenn alle Anteilseigner (Mitglieder) auf einen solchen Bericht verzichten.

Des weiteren wird in § 13 UmwG ein notariell beurkundeter Beschluss der Anteilseigner (Vereinsmitglieder) über die Annahme des Verschmelzungsvertrags verlangt. Die notwendigen Inhalte des Verschmelzungsvertrages werden durch den § 5 UmwG bestimmt (Einzelheiten zur Vermögensübertragung, Übertragung von Rechten/Pflichten, Folgen für Arbeitsverhältnisse u.a.)

Ohne rechtlichen Beistand ist eine Verschmelzung kaum gesetzeskonform zu bewältigen. Statt einer Verschmelzung eines Vereins A mit Verein B kann folgendes Vorgehen eine einfachere Alternative darstellen:

1. Die Mitglieder des Vereins A treten in den Verein B ein.
2. Die Satzung des Vereins A wird dahingehend modifiziert, dass dem Verein B im Falle der Auflösung von A das Vermögen überlassen wird.
3. Der Verein A beschließt mit der notwendigen Mehrheit seine Auflösung und der Vorstand führt die Auflösung durch.

Dieses Vorgehen kann natürlich nur funktionieren, wenn sowohl Mitglieder beider Vereine als auch die Vorstände diesen Zusammenschluss wollen und einander vertrauen.

Die Spaltung (§123 UmwG)

Bei der Umwandlung in Form der Spaltung sind wiederum drei Unterformen zu unterscheiden.

1. Die *Aufspaltung*. Dabei wird das Vermögen eines Rechtsträgers unter Auflösung ohne Abwicklung an mindestens zwei bestehende bzw. neu errichtete Rechtsträger übertragen. Dabei werden den Anteilsinhabern (Mitgliedern) Beteiligungen (Anteile oder Mitgliedschaften) an den übernehmenden Rechtsträgern gewährt.
2. Die *Abspaltung*. Hier wird nur ein Teil des Vermögens eines Rechtsträgers auf einen bestehenden oder neu zu errichteten Rechtsträger übertragen. Auch hier werden den Anteilsinhabern (Mitgliedern) Beteiligungen an dem übernehmenden Rechtsträger gewährt.
3. Die *Ausgliederung*. Es handelt sich um die Übertragung eines Teiles des Vermögens eines Rechtsträgers auf einen bestehenden oder neu errichteten Rechtsträger. Hier wird nicht den Anteils-

Beispiel Ausgliederung (z.B. einer Tagesstätte)

<table>
<tr><td colspan="4">Verein Jugendhilfe
bestehend aus nachfolgenden Bereichen</td></tr>
<tr><td>Ideeller Bereich, z.B. unentgeltliche Hausaufgabenhilfe</td><td colspan="2">Vermögensverwaltung</td><td>Tagesstätte</td></tr>
<tr><td colspan="4">Tagesstätte wird in gGmbH ausgegliedert</td></tr>
<tr><td colspan="4">Verein Jugendhilfe
ist jetzt zu 100% an der ausgegliederten
Tagesstätten-GmbH beteiligt</td></tr>
<tr><td colspan="2">Ideeller Bereich, unentgeltliche Hausaufgabenhilfe</td><td colspan="2">z.B. Vermögensverwaltung, 100% Beteiligung an Tagesstätten gGmbH</td></tr>
<tr><td colspan="2"></td><td colspan="2">Tagesstätten gGmbH
Einflußnahme des Vereins nur über den Vereinsvorstand als Vereinsvertreter in der Gesellschafterversammlung möglich</td></tr>
</table>

inhabern eine Beteiligung am übernehmenden Rechtsträger gewährt, wie unter 2., sondern dem übertragenden Rechtsträger (Verein).

Formwechsel

Hier handelt es sich um die Änderung der Rechtsform, d.h. aus einem gemeinnützigen Verein wird bspw. eine gemeinnützige GmbH oder AG.

Weitere Ausführungen zur Verschmelzung und Umwandlung können auf Homepage des Landessportbundes Berlin (http://www.lsb-berlin.org/) unter „Vereinsservice“ nachgelesen werden.

2

Steuern

Die steuerliche Begünstigung

Der deutsche Staat gewährt privaten, gemeinnützigen Körperschaften Steuerbegünstigungen, weil sie ihm entsprechend dem Subsidiaritätsprinzip (Prinzip der Nachrangigkeit) Gemeinwohlaufgaben abnehmen, die er sonst selbst wahrnehmen und für die er öffentliche Gelder aufwenden müsste.

Die steuerliche Begünstigung spielt dann eine Rolle, wenn der Verein *gemeinnützige, mildtätige* oder *kirchliche* Zwecke verfolgt; dabei wird im Sprachgebrauch „gemeinnützig" häufig als Oberbegriff für alle drei begünstigten Zwecke benutzt.

Der Zweck muss in der Satzung so konkret bezeichnet sein, dass sich zweifelsfrei entnehmen lässt, welche bestimmten steuerbegünstigten Zwecke der Verein verfolgen will. Dabei soll auch beschrieben werden, auf welche Weise die verfolgten Zwecke im Einzelnen verwirklicht werden sollen.

Die steuerliche Begünstigung bedeutet eine Befreiung von den Ertragssteuern und andere steuerliche Erleichterungen (siehe auch Kapitel *Spenden*).

Voraussetzungen für die Anerkennung als steuerbegünstigte Körperschaft

Steuerbegünstigt können nur Körperschaften und Vermögensmassen im Sinne des § 1 Abs. 1 KStG sein, z.B. Vereine (auch nicht eingetragene), GmbHs, AGs, Stiftungen, nicht jedoch Personengesellschaften und Einzelpersonen. Nach § 53 S.3 AO gelten Untergliederungen von Vereinen nicht als selbstständige Rechtssubjekte.

Das Finanzamt versendet so genannte *Freistellungsbescheide*, aus denen hervorgeht, ob der Verein spendenempfangsberechtigt ist oder nicht.

Die Voraussetzungen der Gemeinnützigkeit sind in den §§ 51–68 der Abgabenordnung (AO) geregelt (Text siehe CD-ROM).

Steuerbegünstigt sind danach bestimmte Zwecke, soweit diese *ausschließlich*, *unmittelbar* und *selbstlos* verwirklicht und durch das örtliche Finanzamt anerkannt sind.

Ausschließlich heißt, dass im Satzungszweck kein nichtbegünstigter Zweck mitangegeben werden darf (§ 56 AO).

Unmittelbar heißt, dass durch den Verein selbst oder Hilfspersonen die begünstigten Zwecke – Ausnahme Fördervereine (siehe unten) – verwirklicht werden (§ 57 AO).

gemeinnützige § 52	***mildtätige § 53***	***kirchliche § 54 Zwecke***
z.B. Förderung der Kultur, Wissenschaft, Bildung, Erziehung, Jugend- und Altenhilfe, Wohlfahrtswesen u.a. Förderung der Allgemeinheit (1); Offener Personenkreis	wenn Personen selbstlos unterstützt werden sollen, die aufgrund körperlicher, seelischer geistiger oder wirtschaftlicher Gründe hilfebedürftig sind (Nachweis erforderlich für §53/2 AO). Hier ist die Förderung der Allgemeinheit nicht gefordert	Förderung der großen öffentlich-rechtlichen Kirchengemeinschaften

Beispiel (1): Steht ein Betriebskindergarten nur den Kindern Betriebsangehöriger offen, ist das Kriterium „Förderung der Allgemeinheit" nicht erfüllt. Der Kindergarten wird vom Finanzamt nicht als steuerbegünstigt anerkannt werden.

Selbstlosigkeit

Unter *Selbstlosigkeit* ist zu verstehen, dass nicht „in erster Linie eigenwirtschaftliche Zwecke ... verfolgt" werden, „die Mittel der Körperschaft ... nur für satzungsgemäße Zwecke verwendet werden" dürfen, keine Rückzahlung des Vereinsvermögens erfolgt, keine unverhältnismäßig hohen Vergütungen gezahlt werden und dass z.B.

im Falle der Vereinsauflösung das Vermögen für steuerbegünstigte Zwecke verwendet wird (§ 55 AO). OFD Koblenz, 26.04.2002, S 0174 A - St 341: Nach § 55 Abs. 1 Satz 1 AO darf eine gemeinnützige Körperschaft nicht in erster Linie eigenwirtschaftliche Zwecke – z.B. gewerbliche Zwecke oder sonstige Erwerbszwecke – verfolgen.

Die Selbstlosigkeit ist bei reinen Beschäftigungsgesellschaften nicht gegeben, wohl aber bei Beschäftigungsgesellschaften mit therapeutischer Betreuung, da hier die therapeutische Betreuung im Mittelpunkt steht (siehe S. 61).

Vorsicht ist bei Vereinen geboten, deren überwiegende Zahl der Mitglieder gleichzeitig Angestellte des Vereins sind, hier kann es zu Schwierigkeiten mit der Erfüllung des Kriteriums Selbstlosigkeit kommen, da bei den Mitarbeitern das Eigeninteresse Einkommenserzielung unterstellt werden kann.

Nachdem die 10%-Regelung für die Werbung neuer Mitglieder (AEAO zu § 55 Nr. 22) im Jahre 2003 gestrichen wurde, gilt auch für die Mitgliederwerbung nur noch der allgemeine Höchstbetrag von insgesamt 50% für alle Verwaltungsausgaben. Die Kosten für die Mitgliederwerbung dürfen also zusammen mit den anderen Verwaltungsausgaben insgesamt nicht 50% der Einnahmen übersteigen. Für die Mitgliederwerbung in Vereinen bedeutet das eine Verbesserung, da im Rahmen der gesamten Verwaltungskosten mehr Mittel dafür bereit gestellt werden können. (OFD Magdeburg - 15.04.2004 S 0174 - 16 - St 217)

Vermögensbindung

Die Vermögensbindung (§ 55 in Verbindung mit § 61 AO) soll gewährleisten, dass Mittel einer steuerbegünstigten Körperschaft nicht in nichtsteuerbegünstigte Bereiche fließen, z.B. bei Auflösung des Vereins oder bei Änderung des Vereinszwecks in einen nicht steuerbegünstigten Vereinszweck. Beruft sich eine Körperschaft darauf, dass aus zwingenden Gründen der künftige Verwendungszweck ihres Vermögens (im Falle der Auflösung) bei Aufstellung der Satzung noch nicht nach § 61 Abs. 1 AO 1977 genau angegeben werden kann, muss sie die zwingenden Gründe dafür explizit darlegen, soweit sie sich nicht bereits aus der Satzung ergeben.

Im Falle des Vereins *Stille Hilfe Südtirol*, der 1995 in München großes Aufsehen erregte, sind Vereinsmittel als zinsloser Kredit an ein vereinsfremdes gewerbliches Unternehmen abgezweigt worden; dies war ein eindeutiger Verstoß gegen die Vermögensbindung.

Der Vermögensbindung widerspricht ebenso die treuhänderische Übertragung. Die Vertreter der obersten Finanzbehörden haben entschieden, dass die Festlegung einer sog. treuhänderischen Übertragung nicht den Voraussetzungen der satzungsmäßigen Vermögensbindung nach § 55 Abs. 1 Nr.4 i.V. mit § 61 AO genügt. Außerdem verstößt ein treuhänderisches „Vorhalten von Mitteln" gegen das Gebot der zeitnahen Mittelverwendung. (OFD Chemnitz, Kurzinformation vom 17. 8. 2005)

Die Oberfinanzdirektion (OFD) Köln hat in einer Verfügung vom 16.3.1998 (S 0180-1-St 133) die Möglichkeiten zugunsten einer Vermögenszuweisung im Falle einer Vereinsauflösung an ausländische Vereine erheblich eingeschränkt. Aus der Verfügung ergibt sich Folgendes: Nach Ansicht der OFD Köln muss es sich bei dieser „anderen steuerbegünstigten Körperschaft" um eine Körperschaft handeln, die nach deutschem Gemeinnützigkeitsrecht die entsprechenden Steuervergünstigungen in Anspruch nimmt. Das heißt, eine steuerrechtlich wirksame Vermögensbindung kann nur zugunsten inländischer steuerbegünstigter Körperschaften getroffen werden. Damit scheidet eine Vermögensübertragung auf eine ausländische Körperschaft des öffentlichen Rechts nach Ansicht des OFD Köln unter Bezugnahme auf das BFH-Urteil vom 11.11.1996, BStBI 1967 III S.116, aus.

Falls die Vermögensbindung durch eine Satzungsänderung aufgegeben wird, kann der dann eintretende Verlust der Steuerbegünstigung für zehn Jahre rückwirken; deswegen sollte eine solche Zweckänderung wohlbedacht sein, da die steuerlichen Nachforderungen erheblich sein können.

Satzungsanforderungen

Im § 60 AO werden die Satzungsanforderungen für die Steuerbegünstigung genannt. Die Satzung muss so ausführlich gehalten sein, dass anhand der Satzung die Voraussetzung einer Steuerbegünstigung überprüft werden kann (siehe auch Satzungsbeispiel auf der CD-ROM).

Wichtig bei alledem ist, dass die *tatsächliche Geschäftsführung* mit dem in der Satzung angegebenen Zweck übereinstimmen muss, und zwar über den gesamten Zeitraum der Existenz des Vereins. Der Verein hat dies unter anderem durch ordnungsgemäße Aufzeichnungen über seine gesamten Einnahmen und Ausgaben für sämtliche Tätigkeitsfelder nachzuweisen (§ 63 AO).

Da mit fortlaufendem Alter des Vereins sich die Aktivitäten ändern können, sollte der in der Satzung verankerte Vereinszweck immer wieder mit den tatsächlichen Aktivitäten verglichen werden.

Es kann dabei durchaus eine Satzungsänderung notwendig werden.

Die von engagierten BürgerInnen gegründeten so genannten Freiwilligen-Zentren und -Agenturen, die es sich zur Aufgabe gemacht haben, das ehrenamtliche bürgerschaftliche Engagement in den steuerbegünstigten Bereichen zu fördern, sind weiterhin nicht steuerlich begünstigt. Ein entsprechender Antrag Hessens scheiterte vor dem Bundesrat. Nur wenn sie einem Bildungszweck verfolgen, bestehe eine steuerliche Begünstigung (s.S. 56).

Steuerlich unschädliche Betätigungen

Auch bei den Bedingungen für die Steuerbegünstigung gilt: keine Regel ohne Ausnahme. Diese Ausnahmen sind unter § 58 der Abgabenordnung aufgeführt. Insbesondere die Forderung der *unmittelbaren* Zweckverwirklichung wird hier relativiert; durch diesen Paragraphen gelten beispielsweise auch *Spendensammelvereine* oder *Fördervereine* als steuerbegünstigt.

Bei solchen Vereinen gilt für die Voraussetzung der Unmittelbarkeit (§ 57 AO) eine Ausnahme (§ 58 Nr.1 und 2 AO), wenn die Mittel für die Verwirklichung steuerbegünstigter Zwecke z.B. eines anderen Vereins oder einer gGmbH (gemeinnützige Gesellschaft mit beschränkter Haftung) zur Verfügung gestellt werden. Das heißt, Fördervereine dürfen keine natürlichen Personen fördern. Seit 1.1.2001 ist die Förderung eines gemeinnützigen Projekts eines nicht steuerbegünstigten Trägers nicht mehr zulässig. Zweck der Neuregelung ist es, zu verhindern, dass „exklusiven Sportvereinen“ oder gewerblichen, auf Gewinnerzielung ausgerichteten Betätigungen (Pflege-GmbH, die Ausschüttungen an Gesellschafter vornimmt) ein gemeinnütziger Spendensammelverein vorgeschaltet wird.

Es reicht aus, wenn die Mittel zeitnah an den zu fördernden Verein abgeführt werden. Falls es zu Verzögerungen auf Seiten des zu fördernden Vereins kommt, z.B. späterer Baubeginn im Falle einer Bauförderung, ist eine spätere Förderung für die zeitnahe Mittelverwendung unschädlich.

z.B.

Beispiele: Vereine zur Förderung eines Kindergartens, notleidender oder hilfsbedürftiger Personen, der Jugendpflege etc. – grundsätzlich ist nur Fördervereinen die Weitergabe von Mitteln an andere gemeinnützige Körperschaften erlaubt. Es ist nach einer Verfügung der OFD Rostock vom 10.3.97 allerdings auch anderen Vereinen erlaubt, ihre Mittel nicht nur selbst zu verwenden. Voraussetzung dafür ist, dass die Höhe der weitergegebenen Mittel fünfzig Prozent der Einnahmen nicht überschreitet. Die Körperschaft, die die Mittel erhält, muss Zwecke verwirklichen, die sich mit Satzungszwecken des fördernden Vereins decken.

!

Ausnahme: Mit Gesetz vom 21.07.2004 hat der Gesetzgeber durch Änderung des § 58 Nr.1 der Abgabenordnung (AO) für Förder- und Spendensammelvereine die Möglichkeit eröffnet, ohne Gefährdung des eigenen Gemeinnützigkeitsstatus Körperschaften des öffentlichen Rechts (z.B. Städte, Gemeinden, Kirchen) durch die Beschaffung von Mitteln für die Verwirklichung steuerbegünstigter Zwecke zu unterstützen. Damit hat der Gesetzgeber im Bereich der Körperschaften des öffentlichen Rechts rückwirkend wieder die ursprüngliche, bis 2000 bestehende Rechtslage hergestellt. Zum Beispiel kann ein Kindergarten- oder Museumsförderverein jetzt wieder ohne Gefährdung der eigenen Gemeinnützigkeit Mittel für den städtischen Kindergarten oder das Museum sammeln, unabhängig davon, ob das Museum bzw. der Kindergarten selbst die formellen und materiellen Voraussetzungen der Gemeinnützigkeit erfüllt. Es müssen die vom Förderverein gesammelten Mittel von der Körperschaft des öffentlichen Rechts tatsächlich für gemeinnützige

Zwecke verwendet werden. Die Regelung gilt ausdrücklich nicht für Körperschaften privaten Rechts.

Projektförderung im Ausland

Unterstützt ein in Deutschland ansässiger Verein Projekte im Ausland, kann dies grundsätzlich steuerbegünstigt sein. Die Weitergabe von Mitteln an ausländische Körperschaften muss aus der Satzung hervorgehen (falls der Verein nicht selbst die Zwecke verwirklicht). Die Finanzämter sind allerdings zu weitgehenden Prüfungsaktivitäten berechtigt. Sie können beispielsweise verlangen, dass Unterlagen, Verträge, Belege u.a. in übersetzter Form vorliegen. Teilweise wird sogar eine Stellungnahme der deutschen Auslandsvertretung angefordert, die die Aktivitäten des Vereins im Ausland bestätigt.

Wichtig: Auf der Spendenbestätigung muss die Verwendung im Ausland vermerkt sein!

Aber: Gemeinnützige Vereine können ihre Steuerbegünstigung verlieren, wenn ihre Aufwendungen für Spendenwerbung und Verwaltung ein bestimmtes Maß überschreiten. Dies hat der Bundesfinanzhof (BFH) in München als oberstes deutsches Finanzgericht entschieden (Az: I B 82/98).

Es ging dabei um einen gemeinnützigen eingetragenen Verein, der im Mai 1995 gegründet worden war. Sein satzungsgemäßer Zweck lag in der Unterstützung von hilfsbedürftigen Menschen. In den Jahren 1995 und 1996 erwirtschaftete der Verein Geldspenden in Höhe von 331.000 DM. Seine Ausgaben beliefen sich auf 421.000 DM. Von diesem Betrag entfielen allerdings lediglich 101.000 DM auf die Finanzierung von Aufgaben gemäß des Satzungszwecks, wie Hilfstransporte nach Rußland. Für Spendenwerbung und Verwaltung verwendete der Verein dagegen 315.000 DM.

Wegen der im Verhältnis zu den Spendeneinnahmen „unangemessen hohen Aufwendungen“ verweigerte das zuständige Finanzamt dem Verein den Status der Gemeinnützigkeit. Nach Ansicht der zuständigen Finanzrichter war der Verein aufgrund seines Ausgabegebahrens nicht selbstlos tätig gewesen. Der Beschluss gilt für jede Art von gemeinnützigen Vereinen. Es muss laut BFH aber berücksichtigt werden, ob sich die Körperschaft noch im Aufbau befindet.

Während dieses Zeitraumes sei es in der Regel unvermeidbar, dass die Vereine einen „sehr hohen Anteil" ihrer Mittel für Spendenwerbung oder Verwaltung benötigen.

Im Rahmen des § 58 AO ist auch geregelt, dass es für die Steuerbegünstigung unschädlich ist, wenn ein Sportverein neben dem unbezahlten Sport auch den bezahlten Sport fördert – die Fußballlobby lässt grüßen.

Eine unentgeltliche oder verbilligte Abgabe von Speisen und Getränken ist in den Fällen unschädlich für die Gemeinnützigkeit, wenn die Verköstigten Anspruch auf einen entsprechenden Aufwendungsersatz hätten (s.a. Abschnitt 73 Abs. 2 LStR). Geschenke an verdienstvolle Mitglieder sind bis zu 40 € unschädlich für die Gemeinnützigkeit.

Gemeinnützigkeit von Freiwilligenagenturen

In der Vergangenheit wurden Freiwilligenagenturen, Ehrenamtsbörsen u.ä. von den Finanzämtern in der Regel nicht als gemeinnützig anerkannt. Nach einem Schreiben des Bundesministerium der Finanzen vom 15.9.2003 können diese Agenturen wegen der Förderung der Bildung als gemeinnützig anerkannt werden. Dies gilt für alle Veranlagungszeiträume, für die noch kein Körperschaftssteuerbescheid ergangen ist. Falls die Satzung die Förderung der Bildung bisher nicht beinhaltet, sollte dies aufgenommen werden, vorausgesetzt natürlich, dass die Freiwilligen entsprechend geschult und vorbereitet werden und nicht lediglich vermittelt.

Die Tätigkeitsbereiche des Vereins und die steuerlichen Folgen

Für das Finanzamt gliedert sich der Verein in die hier grafisch dargestellten vier Bereiche: den ideellen, den der Vermögensverwaltung sowie den der wirtschaftlichen Betätigung, der wiederum in einen steuerbegünstigten (sog. Zweckbetrieb) und einen nichtbegünstigten Bereich differenziert wird.

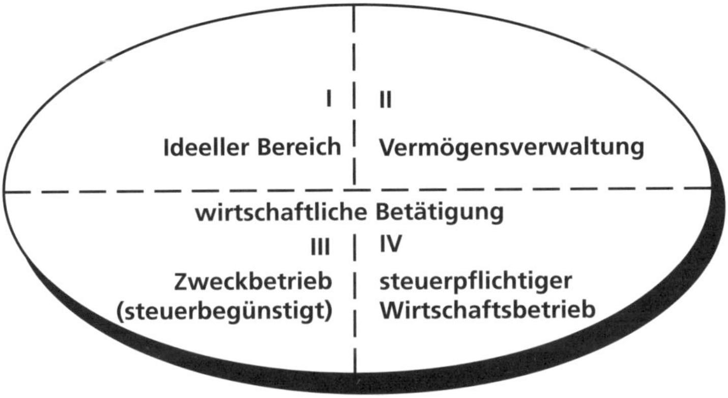

Die steuerlich relevanten Tätigkeitsbereiche des Vereins
(zu Einzelheiten siehe auch Tabelle S.94/95)

Der ideelle Bereich (I)

Der ideelle Bereich ist der eigentliche Bereich zur Verfolgung der gemeinnützigen Zwecke; wegen dieses ideellen Bereichs erhält der Verein überhaupt erst seine Steuerbegünstigung.

Typische ideelle Bereiche sind: therapeutische Wohngemeinschaften, psychologische Beratungsstellen, sozialpädagogische Betreuung Langzeitarbeitsloser, Städteaustausch, Bürgerinitiativen gegen Großbauprojekte, sofern sie nicht nur eigene, sondern der Allgemeinheit dienende Interessen verfolgen.

Zur Veranschaulichung dieses Bereichs sind nachfolgend typische Einnahmen- und Ausgabenposten aufgeführt:

Einnahmen
- Aufnahmegebühren
- Mitgliedsbeiträge
- Zuschüsse von z.B. Kommune, Land, Stiftungen u.a. für Personal- oder Sachkosten
- Spenden, Bußgelder

Ausgaben
- Mietkosten
- Versicherungen
- Personalkosten
- Allgemeine Verwaltungskosten (Büromaterial, Telefon u.ä.)
- Fahrtkosten
- Kontoführung

Der ideelle Bereich zeichnet sich durch ausschließlich *freiwillige* bzw. *öffentliche* Finanzierung aus; es werden keine Leistungen gegen Entgelt erbracht, d.h. es liegt kein Leistungsaustausch vor wie bei den nachfolgenden Bereichen.

Die Vermögensverwaltung (II)

Miet- und Pachterträge aus *langfristiger* Vermietung gelten als Vermögensverwaltung und nicht als wirtschaftlicher Geschäftsbetrieb und sind deshalb steuerbegünstigt.

Einnahmen
- Miete / Pacht (aus langfristiger Vermietung/Verpachtung)
- Überlassung von Werberechten
- Zinsen
- Dividenden

Ausgaben
- Bankspesen
- Gebäudeinstandhaltung
- Anschaffungskosten
- Grundstücksaufwendungen

Die wirtschaftliche Tätigkeit

Bei Idealvereinen, d.h. Vereinen, deren Zweck nicht auf einen wirtschaftlichen Geschäftsbetrieb gerichtet ist (vgl. § 21 BGB), darf eine wirtschaftliche Betätigung nie den ideellen Hauptzweck überwiegen. Wenn die Vereinstätigkeit sich beispielsweise fast nur noch auf das Betreiben einer Vereinsgaststätte beschränkt und die ideellen Aktivitäten kaum noch eine Rolle spielen, dann ist der Hauptzweck kein ideeller mehr.

Wirtschaftliche Aktivitäten sind nur im Rahmen des so genannten Nebenzweckprivilegs erlaubt, d.h. sie dürfen gegenüber dem ideellen Zweck nie überwiegen. Es existieren auch so genannte wirtschaftliche Vereine (§ 22 BGB); diese erlangen allerdings ihre Rechtsfähigkeit ausschließlich durch staatliche Verleihung, die sehr restriktiv gehandhabt wird.

Wann eine wirtschaftliche Betätigung eines Idealvereins über das Nebenzweckprivileg hinausgeht, ist nicht eindeutig gesetzlich festgelegt; somit ist hier ein gewisser Ermessensspielraum (positiv wie negativ) seitens der Finanzämter gegeben.

Um klarzustellen, was das Finanzamt unter einer *wirtschaftlichen Betätigung* versteht, hier die Definition nach § 14 der Abgabenordnung: „... eine selbstständige, nachhaltige Tätigkeit, durch die Einnahmen erzielt werden und die über bloße Vermögensverwaltung hinausgeht“. Eine Gewinnerzielungsabsicht ist irrelevant, es genügt eine Einnahme-Erzielungsabsicht.

Wichtig: Es ist demnach nicht relevant, Gewinn zu erzielen, es genügt allein die Absicht, Einnahmen zu machen, auch wenn diese lediglich zur Kostendeckung dienen. !

Sämtliche wirtschaftlichen Tätigkeiten eines Rechtsträgers, d.h. auch der funktionalen Untergliederungen (Abteilungen, Ortsgruppen o.ä.), sind zusammenzuzählen. Das hat oft eine Überschreitung von steuerlichen Freibeträgen und Freigrenzen zur Folge!

Laut § 64 Abs.3 AO ist es bei steuerbegünstigten Vereinen bis zur Umsatzfreigrenze von 30.678 € inkl. Umsatzsteuer für das Finanzamt nicht relevant, ob die wirtschaftliche Betätigung steuerbegünstigt ist oder nicht, sofern sie mit dem Satzungszweck vereinbar ist:

Wirtschaftliche Aktivitäten, die diese Grenze nicht übersteigen, werden steuerlich wie Zweckbetriebe behandelt (§ 64 Abs.3 AO), sie sind damit steuerbegünstigt (siehe folgende Seite).

z.B.

Beispiel: Ein Kulturverein veranstaltet einmal im Jahr ein Straßenfest mit kulturellen Darbietungen (das ist im Sinne des Vereinszwecks) und verkauft gleichzeitig noch Getränke und Speisen (steuerpflichtiger Wirtschaftsbetrieb); ansonsten entfaltet er keine wirtschaftlichen Aktivitäten.

Variante A

Es werden dabei Einnahmen von 30.678 € (inkl. Umsatzsteuer) gemacht, die Ausgaben belaufen sich auf 10.000 €. Der Gewinn von 20.678 € (ohne Berücksichtung der Umsatz- und Vorsteuer!) ist nicht zu versteuern, da bis zur 30.678€-Grenze der steuerpflichtige Wirtschaftsbetrieb bezüglich der Ertragssteuern (Körperschaftssteuer, Gewerbesteuer) wie der steuerbegünstigte Zweckbetrieb behandelt wird.

Variante B

Es werden dabei Einnahmen von 30.679 € erzielt (d.h. ein € mehr als bei Variante A), die Ausgaben belaufen sich auf 12.000 €. Der Gewinn von 18.679 € ist bis auf einen Freibetrag von 3.835 € voll der Körperschaftssteuer unterworfen.

Der Zweckbetrieb (III)

Der Zweckbetrieb ist in §§ 65ff. AO näher definiert; beispielhaft sind in den §§ 66–68 AO einige Zweckbetriebe aufgeführt: Altenheime, Kindergärten, Jugendherbergen, Werkstätten für Behinderte, Theater, Museen, Volkshochschulen etc.

Auch wenn der Betrieb Ihres Vereins dort nicht aufgeführt ist, kann es sich um einen Zweckbetrieb handeln (z.B. Beschäftigungsprojekte), wenn der Betrieb folgende Voraussetzungen erfüllt (§ 65 AO):

1. Er muss dazu dienen, die steuerbegünstigten Zwecke zu verwirklichen;
2. der Satzungszweck kann nur durch die wirtschaftliche Betätigung erreicht werden;

3. der Zweckbetrieb darf zu anderen, nicht begünstigten Betrieben nicht in größerem Umfang und nicht mehr als notwendig in Konkurrenz treten.

Auch Raumüberlassung kann Zweckbetrieb sein, wenn sie an eine andere steuerbegünstigte Körperschaft erfolgt (§ 58 Nr.4 AO).

Es ist durchaus möglich, dass ein gewerblicher Betrieb eine Konkurrentenklage gegen einen Zweckbetrieb eines steuerbegünstigten Vereins wegen Wettbewerbsverzerrung anstrengt. Eine erfolgreiche Klage setzt allerdings voraus, dass der gewerbliche Betrieb nachweisen kann, dass die Steuerbegünstigung des Zweckbetriebs zu seinem Schaden den Wettbewerb verfälsche (vgl. BFH-Entscheidung vom 15.10.1997).

Die Wettbewerbsbeschränkung des § 65 Nr.3 AO findet keine Anwendung, wenn es sich, wie beispielsweise bei einem Rettungsdienst, um eine Einrichtung der Wohlfahrtspflege nach § 66 AO handelt und dadurch ein Zweckbetrieb eigener Art begründet wird, der von den Voraussetzungen des § 65 AO unabhängig ist.

Urteile zum Thema Zweckbetrieb

Verkaufsstellen von Behindertenwerkstätten wurden bisher nur dann als Zweckbetrieb anerkannt, wenn dort ausschließlich Produkte verkauft wurden, die von den Werkstätten selbst hergestellt wurden (§ 68 AO). Im Falle eines Zukaufs und der Veräußerung anderer Produkte verlor die Verkaufsstelle ihre Zweckbetriebseigenschaft.

Aufgrund einer Verfügung der OFD Magdeburg vom 15.05.1998 (S 0187-5-St 235 V) wird an dieser Vorgabe nicht mehr festgehalten. Die WfB-Verkaufsstellen verlieren danach nicht mehr ihre Zweckbetriebseigenschaften, wenn weitere, zugekaufte Produkte veräußert werden: Ein Verkauf der zugekauften Güter ist in diesem Fall dem steuerpflichtigen wirtschaftlichen Geschäftsbetrieb zuzuordnen.

In einem Urteil des Bundesfinanzhofs vom 26.5.1995 wurde die Zweckbetriebseigenschaft denjenigen Körperschaften (**Beschäftigungsinitiativen**) zugestanden, die schwervermittelbare und zuvor längere Zeit arbeitslose Personen – insbesondere Suchtkranke, Arbeitsentwöhnte oder Behinderte – arbeitstherapeutisch beschäftigen und berufs- und sozialpädagogisch betreuen, um dadurch deren Eingliederung in den normalen Arbeitsprozess selbstlos zu fördern. Dies gilt auch für die Ausführung von Lohnaufträgen, wenn die Leistungen an die Auftraggeber ausschließlich Ergebnis der Arbeitstherapie und somit notwendige Folge der Erfüllung des gemeinnützigen Zwecks sind.

Ein Schwerbehinderter kann nach Auffassung der Finanzverwaltung nur dann als ganze Arbeitskraft auf die zur steuerlichen Anerkennung erforderlichen Beschäftigtenquote von 40 % (Zweckbetriebseigenschaft von Integrationsfirmen) angerechnet werden, wenn seine Wochenarbeitszeit wenigstens 18 Stunden beträgt. (OFD Düsseldorf und Münster vom 14.6.2004 – S0187-20-St133K)

Kranken- und Behindertenfahrten nicht immer Zweckbetrieb

Die OFD Chemnitz hat in einer Verfügung vom 07.03.2005, S 0187 - 7/2 - St 21, die Aussagen zur gemeinnützigkeitsrechtlichen Behandlung von Kranken- und Behindertenfahrten durch gemeinnützige und mildtätige Organisationen bzw. Vereine im Rahmen eines steuerpflichtigen wirtschaftlichen Geschäftsbetriebs Stellung genommen. Abgesehen von den bestehenden Genehmigungspflichten wird danach die Auffassung vertreten, dass die Fahrten nicht mehr im Rahmen eines Zweckbetriebs erfolgen, sondern wegen des Wettbewerbs zu Taxi- und Mietwagenunternehmen als steuerpflichtiger, wirtschaftlicher Geschäftsbetrieb erfasst werden.

Ausnahmen und die Zuordnung zum Zweckbetrieb gibt es für Krankenfahrten nur dann, wenn für die beförderte Person zwar keine medizinische fachliche Betreuung notwendig ist, sie jedoch während oder unmittelbar vor oder nach der Fahrt einer anderweitigen persönlichen Betreuung zusammen mit der Beförderung bedarf. Bei Behindertenfahrten gilt dies für die Zuordnung zum Zweckbetrieb, wenn die beförderte Person wegen der Art und des Ausmaßes der Behinderung auf die Beförderung in Spezialfahrzeugen oder in mit Begleitpersonen besetzten Kraftfahrzeugen angewiesen oder in sonstigen Einzelfällen im Hinblick auf die Beförderung hilfsbedürftig ist. Weiterhin sind Notfallrettungseinsätze und Krankentransporte durch gemeinnützige und mildtätige Organisationen und Verbände als Zweckbetrieb nach § 66 AO zu beurteilen.

Folgende Leistungen von **Tierheimen** sind als Zweckbetriebe zu beurteilen:

- Die Aufnahme und Versorgung von Fundtieren, für die das Tierheim eine jährliche Pauschalvergütung von der Kommune erhält,
- die Aufnahme von sog. Abgabetieren, die ihr Eigentümer nicht mehr halten kann oder will, gegen ein kostendeckendes Entgelt und
- die Abgabe von im Tierheim lebenden Tieren gegen eine pauschale, nach Art, Alter und Abstammung gestaffelte Vermittlungsgebühr.

Aber: Die zeitweise Aufnahme (Pflege) von Tieren wegen vorübergehender Abwesenheit des Halters gegen Entgelt (Tierpension) wird dagegen als steuerpflichtiger wirtschaftlicher Geschäftsbetrieb angesehen. (OFD Magdeburg, Vfg. v. 26. 4. 2005)

Exkurs: Anforderung an die Aufzeichnungen – Buchführungspflicht

Bei Vereinen werden lediglich ordnungsgemäße Aufzeichnungen über Einnahmen und Ausgaben verlangt, das heißt, am Jahresende müssen alle angefallenen Einnahmen und Ausgaben gegenübergestellt werden können, sowie das Führen eines Bestandsverzeichnisses.

Vereine, die Warenein- und Warenausgänge zu verzeichnen haben, z.B. Eine-Welt-Läden, müssen zusätzlich Aufzeichnungen des Wareneingangs (§ 143 AO) und des Warenausgangs (§ 144 AO) führen.

Darüber hinaus sind Aufzeichnungspflichten für nicht abzugsfähige Betriebsausgaben (§ 4 Abs.7 EStG), für geringwertige Wirtschaftsgüter (des steuerpflichtigen Geschäftsbetriebs) und Umsätze (§ 22 UStG) zu erfüllen.

Die Buchführungspflicht, d.h. die Pflicht zur doppelten Buchführung, tritt ein, wenn eines der folgenden Kriterien für den steuerpflichtigen Wirtschaftsbetrieb zutrifft:

Umsatz	>	350.000 €
Gewinn	>	30.000 €

Die Grenzen gelten für den Gesamtverein, d.h. nicht nur für den steuerpflichtigen Wirtschaftsbetrieb, falls dieser nicht gemeinnützig ist.

Der wirtschaftliche Geschäftsbetrieb (IV)

Zu den steuerpflichtigen *wirtschaftlichen Geschäftsbetrieben*, die keine Zweckbetriebe sind (§ 64 AO), zählen beispielsweise: Basar, Dritte-Welt-Laden, Altmaterialsammlung, gastronomische Leistungen, Vereinsfeste, gesellige Veranstaltungen, auch dann, wenn nur Vereinsmitglieder zugelassen sind.

! **Aber:** Laut § 58 Nr. 8 AO handelt es sich bei einer geselligen Zusammenkunft eines gemeinnützigen Vereins um eine steuerlich unschädliche Betätigung, wenn diese im Vergleich zur steuerbegünstigten Tätigkeit des Vereins von untergeordneter Bedeutung ist. Um sicherzugehen, ob es sich um eine untergeordnete Bedeutung handelt, sollte beim Finanzamt nachgefragt werden. Grundsätzlich gilt auch hier die Umsatzfreigrenze von 30.678 € (siehe auch S. 59).

Vermietungen zählen ebenfalls zum wirtschaftlichen Geschäftsbetrieb, wenn sie kurzfristig (bis ca. sechs Monate) und mit Wiederholungsabsicht durchgeführt werden.

Nach § 55 Abs.1 Satz 1 AO darf ein gemeinnütziger Verein nicht in erster Linie so genannten eigenwirtschaftlichen Zwecken, wie z.B. gewerblichen Zwecken, nachgehen. Liegt im steuerpflichtigen wirtschaftlichen Bereich der Schwerpunkt bei einer Gesamtbewertung, ist die Gemeinnützigkeit zu versagen.

Verlustausgleich innerhalb gemeinnütziger Vereine

Insbesondere Vereine, die sowohl einen ideellen Bereich als auch einen wirtschaftlichen Bereich unterhalten, stehen manchmal vor der Frage, ob Verluste in dem einen durch Überschüsse im anderen Bereich ausgeglichen werden dürfen.

Hier muss differenziert werden, ob der wirtschaftliche Bereich als gemeinnützig anerkannt ist (Zweckbetrieb) oder nicht (wirtschaftlicher Geschäftsbetrieb).

Während der Verein im Rahmen seiner gemeinnützigen Satzungszwecke Steuerbefreiungen und -vergünstigungen beanspruchen kann (ideeller Bereich, Vermögensverwaltung, Zweckbetrieb), unterliegt der wirtschaftliche Geschäftsbetrieb der allgemeinen Besteuerung.

Soweit im Rahmen dieses wirtschaftlichen Geschäftsbetriebs Verluste entstehen, dürfen diese Verluste nicht mit Mitteln des Vereins ausgeglichen werden, die im Rahmen der steuerbegünstigten Bereiche erlangt wurden. Vereinsbeiträge, Spenden, Zuschüsse und Vermögenserträge dürfen daher nicht zum Ausgleich der wirtschaftlichen Verluste eingesetzt werden.

Wird die Umsatzgrenze von 30.678 € überschritten (siehe oben), sind wirtschaftliche Betätigungen, sofern sie nicht als Zweckbetrieb gelten, steuerpflichtige wirtschaftliche Geschäftsbetriebe. Verluste aus diesen Betrieben dürfen nicht mit Vereinsmitteln aus den steuerbegünstigten Bereichen ausgeglichen werden.

Der Bundesfinanzhof (BFH) hat in einer Entscheidung vom 13.11.1996 die bisherige Regelung zur Behandlung von Verlusten im steuerpflichtigen Wirtschaftsbetrieb und in der Vermögensverwaltung verschärft.

Auftretende Verluste in diesen Bereichen gefährden die Gemeinnützigkeit, außer die Verluste beruhen auf Fehlkalkulationen und es werden dem ideellen Bereich bis zum Ende des Folgejahres wieder die entnommenen Mittel zugeführt. Der BFH vertritt den Standpunkt, dass eine dauernde Verlustkompensation zu einer Wettbewerbsverzerrung führen würde.

Die Abdeckung von Verlusten des wirtschaftlichen Geschäftsbetriebs einer gemeinnützigen Körperschaft ist steuerschädlich, wenn die Mittel nicht innerhalb von 12 Monaten nach Ende des Verlustjahres wieder dem gemeinnützigen Bereich zugeführt werden. Dafür ist es aber ausreichend, wenn die Körperschaft für ihren wirtschaftlichen Geschäftsbetrieb ein Darlehen aufnimmt und diese Mittel dem gemeinnützigen Bereich zuführt, wie die OFD Hannover mit Verfügung vom 12.7.2000 klarstellt.

Für die Gemeinnützigkeit ist es aber in jedem Fall schädlich, wenn *Dauerverluste* steuerpflichtiger Wirtschaftsbetriebe durch Mittel aus den steuerbegünstigten Bereichen ausgeglichen werden.

Nach Ansicht der Oberfinanzdirektion Frankfurt (Verfügung vom 12.2.1998) ist ein Verlustausgleich zwischen wirtschaftlichen Geschäftsbetrieben eines Vereins durchaus möglich, auch wenn ein wirtschaftlicher Betrieb Dauerverluste produziert.

Abschließend soll am Beispiel *Vereinszeitschrift* die Abgrenzung zwischen den Bereichen veranschaulicht werden:

- Ideeller Zweck: bei *unentgeltlicher* Abgabe an Mitglieder;
- Zweckbetrieb: bei *entgeltlicher* Abgabe an Mitglieder;
- Wirtschaftlicher Geschäftsbetrieb: bei *entgeltlicher* Abgabe an Nichtmitglieder bzw. Werbeeinnahmen durch Inserate.

Kapitalbeteiligungen von Vereinen

Die Oberfinanzdirektion Rostock hat mit einer Verfügung (vom 21.3.2001 – S-0174 – 02/01 – St241) zur Verwendung von Mitteln steuerbegünstigter Körperschaften für die Kapitalausstattung von Kapitalgesellschaften Stellung genommen:

Nach § 55 Abs.1 Nr.1 AO dürfen *steuerbegünstigte Körperschaften* ihre Mittel nur für ihre satzungsmäßigen Zwecke verwenden. Die Hingabe von *zeitnah zu verwendenden Mitteln* zur Kapitalausstattung bzw. Errichtung einer nichtsteuerbegünstigten GmbH ist daher regelmäßig als Verstoß gegen das Gebot der *Selbstlosigkeit* zu werten. Nicht dem Gebot der *zeitnahen Mittelverwendung* unterliegen Mittel für die zulässige Bildung von *freien Rücklagen.*

Im Rahmen des *Beteiligungserwerbs* kommt es zur Vermögensumschichtung bei der gemeinnützigen Körperschaft. Für ihre Mittel erhält die Körperschaft in gleichem Umfang Geschäftsanteile an der (Tochter-)GmbH. Im Ergebnis dürfen der Körperschaft jedoch keine Mittel entzogen werden. Wird Vermögen im Wege der Sachkapitalgründung, -erhöhung oder der verdeckten Einlage auf eine Tochter-GmbH übertragen (z.B. Auslagerung von Arbeitsbereichen) und sind bzw. werden an der Tochter-GmbH neben der gemeinnützigen Körperschaft noch weitere Gesellschafter beteiligt, muss über einen *Wertausgleich* (Barabfindung) sichergestellt sein, dass die Körperschaft insgesamt einen adäquaten Gegenwert für das eingebrachte Vermögen erhält.

Die erhaltenen Geschäftsanteile sind bei der steuerbegünstigten Körperschaft grundsätzlich dem Bereich der *Vermögensverwaltung* zuzuordnen. Der Einsatz nicht zeitnah zu verwendender Mittel für den Erwerb der Beteiligung ist folglich unschädlich für die Gemeinnützigkeit.

Die Beteiligung stellt jedoch einen *wirtschaftlichen Geschäftsbetrieb* dar, wenn die Körperschaft in tatsächlicher Hinsicht Einfluss auf die laufende Geschäftsführung der Tochter-GmbH nimmt oder ein Fall der *Betriebsaufspaltung* vorliegt. Dies liegt in der Regel im Falle einer Mehrheitsbeteiligung vor. Die Verwendung von Mitteln für den Erwerb einer solchen Beteiligung ist als schädlich für die Gemeinnützigkeit anzusehen.

Anerkennung der Gemeinnützigkeit

Legt ein Verein dem Finanzamt seine Satzung vor, prüft das Finanzamt, ob die Satzung die formellen Voraussetzungen der Gemeinnützigkeit erfüllt. Ist dies der Fall, teilt das Finanzamt dem Verein die vorläufige Anerkennung mit. Andernfalls wird die vorläufige Anerkennung versagt.

Diese vorläufige Bescheinigung über die Gemeinnützigkeit ist kein Verwaltungsakt im Sinn des § 118 AO. So entschied auch der BFH im Urteil vom 20.05.92, Az.: I R 138 / 90. Das hat zur Folge, dass der Verein nicht dagegen klagen kann, wenn ihm die Gemeinnützigkeit versagt wird.

Auch der Widerruf einer derartigen Anerkennung ist kein Verwaltungsakt, sondern nur eine Berichtigung der erteilten unverbindlichen Auskunft. Eine Anfechtung ist ausgeschlossen.

Folgende Ausnahme gibt es allerdings: Das Finanzamt darf durch eine einstweilige Anordnung verpflichtet werden, eine Bescheinigung über die vorläufige Anerkennung des Antragstellers als eine gemeinnützigen Zwecken dienende Körperschaft zu erteilen, sofern der Antragsteller zur Erfüllung seiner satzungsmäßigen und ihrer Art nach gemeinnützigen Zwecke auf den Erhalt steuerbegünstigter Spenden angewiesen und seine wirtschaftliche Existenz ohne eine derartige Regelungsanordnung bedroht ist (Bundesfinanzhof AZ: I B 82/98)

Ob die Voraussetzung für die Steuerbefreiung wegen Gemeinnützigkeit erfüllt wird, ist auch nach dem Widerruf erst im *Veranlagungsverfahren* für den jeweiligen Steuer- und Veranlagungszeitraum zu entscheiden. Das Finanzamt prüft dabei nicht nur die formellen Anforderungen an die Satzung, sondern auch, ob die tatsächliche Geschäftsführung den Voraussetzungen der Gemeinnützigkeit entsprochen hat und steuerrelevante Aktivitäten korrekt angemeldet und versteuert worden sind.

! **Tipp:** Kommt es dazu, dass dem Verein die vorläufige Anerkennung der Gemeinnützigkeit entzogen bzw. einem neuen Verein nicht gewährt wird, muss er so schnell wie möglich seine Steuererklärung für das abgelaufene Kalenderjahr abgeben, damit das so genannte Veranlagungsverfahren durchgeführt werden kann. Nur im Rahmen des Veranlagungsverfahrens kann der Verein seinen Gemeinnützigkeitsstatus wiedererlangen (Ausnahmen siehe oben). Wird die Gemeinnützigkeit im Veranlagungsverfahren versagt, kann der Verein gegen die ablehnende Entscheidung Einspruch einlegen und gegebenenfalls Klage beim Finanzgericht erheben, vorher nicht.

Spenden

Spenden sind freiwillige und unentgeltliche (ohne Gegenleistung) Ausgaben zugunsten eines spendenbegünstigten Vereins.

Nicht als Spende gelten unentgeltliche Arbeitsleistung oder Raumüberlassung.

Nur wenn vertragliche Vereinbarungen bestehen, deren Erfüllung einklagbar ist, gelten Leistungen als Spenden. Dies ergibt sich aus § 10b Abs.3 EStG „Aufwendungen zugunsten einer zum Empfang steuerlich abzugsfähiger Zuwendungen berechtigten Körperschaft sind nur abzugsfähig, wenn ein Anspruch auf die Erstattung der Aufwendungen durch Vertrag oder Satzung eingeräumt und auf die Erstattung verzichtet worden ist. Der Anspruch darf nicht unter der Bedingung des Verzichts eingeräumt worden sein".

z.B.

Beispiel: Ein Vereinsmitglied ist Architekt und konzipiert das neue Vereinsheim; in einem Werkvertrag wurde ein Honorar von 5.000 € vereinbart. Dieses Honorar kann er dem Verein spenden. Wenn aber vor der Leistung keinerlei Vergütung vereinbart und eine unentgeltliche Arbeitsleistung anzunehmen war, kann der Verein dem Architekten für die Arbeitsleistung auch keine Spendenquittung ausstellen.

Manche Vereine verfallen auf die Idee, einen wirtschaftlichen Geschäftsbetrieb zu gründen, um mit dessen Gewinnen die ideelle Tätigkeit zu finanzieren. Aber Zahlungen des vereinseigenen wirtschaftlichen Geschäftsbetriebs an den ideellen Vereinsteil gelten nicht als steuerabzugsfähige Spenden und werden nicht als Betriebsausgaben anerkannt (siehe § 9 Nr.3a KStG). Mit anderen Worten: Der Geschäftsbetrieb kann solche Zahlungen nicht von der Steuer absetzen, d.h. er kann dem ideellen Vereinsteil erst *nach* der Versteuerung Mittel zukommen lassen.

Beiträge an steuerbegünstigte Schulfördervereine von Personen, deren Kinder die entsprechende Schule besuchen, sind nur dann spendenabzugsfähig, wenn die Zahlungen, die verpflichtenden Schulbeiträge übersteigen (BMF vom 4.12.1992).

Aufwandsspenden bei Gasteltern

Ausgaben für Personen, deren wirtschaftliche Lage aus besonderen Gründen zur Notlage geworden ist, sind steuerlich abzugsfähig, wenn die Ausgaben an unmittelbar zum Spendenempfang berechtigte Vereine für steuerbegünstigte Zwecke geleistet werden.

Aufwendungen der Gasteltern für die Aufnahme von Kindern aus Katastrophengebieten wären im Rahmen der Höchstbeträge nach § 10 b EStG abziehbar, wenn sie von der zum Spendenempfang berechtigten Körperschaft vereinbarungsgemäß den Ersatz ihrer Kosten verlangen könnten (Aufwandsspende), d.h. wenn Erstattungsanspruch vorliegt. Fehlt dieser Anspruch, handelt es sich um eine direkte Zuwendung der Gastgeber an die aufgenommenen Personen, die steuerlich nicht zu berücksichtigen ist.

Im Fall eines persönlichen Tätigwerdens ist der Aufwand an Zeit (z.B. für Betreuung) nicht abziehbar, sondern nur der hierbei angefallene Sachaufwand (Fahrtkosten, Verpflegung ...). Die steuerliche Abziehbarkeit derartiger „Aufwandsspenden" setzt u.a. voraus, dass der Zuwendende gegenüber der empfangsberechtigten Körperschaft einen Anspruch (durch Vertrag, Satzung oder Vorstandsbeschluss) auf Ersatz seiner Aufwendungen hat und auf diese Erstattung verzichtet. Der Anspruch darf jedoch nicht unter der Bedingung des Verzichts eingeräumt worden sein.

Möglich ist ein pauschaler Aufwendungsersatz für Unterkunft und Verpflegung in Höhe der Werte der jeweils maßgeblichen Sachbezugsverordnung. (OFD Frankfurt - 14.10.2003 - S 2223 A - 126 - St II 2.06)

Aufwandsspenden Betriebsmittel

Zur Anerkennung von Aufwandsspenden (z.B. Fahrtkosten, Telefonkosten), die einer steuerbegünstigten Körperschaft gewährt werden, sind nach einem aktuellen Urteil detaillierte Aufzeichnungen erforderlich.

Nach einer Entscheidung des Thüringer Finanzgerichts müssen bei Aufwandsspenden von Fahrtkosten für jede Fahrt erkennbar sein, dass sie für den begünstigten Zweck notwendig war. Pauschale Angaben genügen hierbei nicht. Der Spender muss im Einzelnen belegen, in welcher Eigenschaft (z.B. als Vorstand), weshalb und wann er tätig war sowie welche Fahrtstrecke er mit dem eigenen Pkw benutzt hat.

Ähnliches trifft auch für die *Erstattung von Telefonkosten* zu. (Finanzgericht Thüringen, Urteil vom 30.1.2003, Az IV 769/01)

Ausstellung von Zuwendungsbestätigungen

Die Zuwendungsbestätigung muss von mindestens einer durch die Satzung oder durch Auftrag zur Entgegennahme berechtigte Person unterzeichnet werden.

Folgende ab dem 1.1.2000 geltende Änderung im Spendenrecht wurde am 15. Oktober 1999 im Bundesrat beschlossen:

Es handelt sich um eine Überarbeitung der Einkommensteuer-Durchführungsverordnung, soweit es um die für das Spendenrecht relevanten Paragraphen (§§ 48 bis 50 EstDV) geht. Das Durchlaufspendenverfahren wurde abgeschafft, mit der Folge, dass alle steuerbegünstigten gemeinnützigen Körperschaften unmittelbar zum Empfang steuerlich abziehbarer Spenden berechtigt sind. Nicht geändert hat sich der Sachverhalt, dass Mitgliedsbeiträge nur bei Körperschaften abzugsfähig sind, die bestimmte Zwecke fördern (Zwecke des „Abschnitts A“: z.B. Jugendhilfe, Entwicklungshilfe, Förderung der Kunst – siehe CD-ROM). Diese Zwecke wurden neu definiert: Mitgliedsbeiträge bleiben in der Regel dann vom Abzug ausgeschlossen, wenn es sich bei den Beträgen hauptsächlich um ein „Leistungsentgelt“ der Mitglieder handelt oder die Mitgliedsbeiträge vorrangig im Hinblick auf die eigene Freizeitgestaltung geleistet werden (Zwecke des „Abschnitts B“ z.B. Sport, Heimatpflege – siehe CD-ROM).

Spendenbescheinigungen müssen nach den amtlich vorgeschriebenen Vordrucken ausgestellt werden, diese liegen auf der CD-ROM vor. Das Bundesfinanzministerium macht konkrete Vorgaben hinsichtlich der Ausstellung von Zuwendungsbestätigungen (BStBl. 2000 Teil I Seite 592). Danach dürfen auf den Zuwendungsbestätigungen weder Danksagungen an den Zuwendenden noch Werbung für die Ziele des Vereins angebracht werden. Entsprechende Texte sind jedoch auf der Rückseite zulässig. Die Wortwahl und die Reihenfolge der in den amtlichen Vordrucken vorgeschriebenen Textpassagen sind grundsätzlich beizubehalten. Nach dem BMF-Schreiben vom 18.11.1999 (BStBl 1999 I S.979) darf die Zuwendungsbestätigung eine DIN A4-Seite nicht überschreiten. Ein kleineres Format (z.B. DIN A5) ist daher zulässig (vgl. auch BMF-Schreiben vom 19.7.2001, IV C 4 - S 2223 - 236/01).

Sachspenden

Bei einer Sachspende müssen Zeitpunkt der Spende, genaue Bezeichnung und Wert des Gegenstandes schriftlich (vgl. § 9 BewG) vorliegen, der Verein muss die Sachspende bestätigen und die ausschließliche Verwendung zu steuerbegünstigten Zwecken gewährleisten. Bei Unternehmensspenden ist anzugeben, ob es sich um gespendetes Privat- oder Betriebsvermögen handelt. Bei einer Sachspende aus dem Privatvermögen ist die Spende mit dem Marktwert zu bewerten, der Wert ist durch den Spender nachzuweisen (Alter, Neupreis, Zustand...) (siehe CD-ROM).

Sachspenden aus dem Betriebsvermögen sind mit dem Teilwert zu bewerten, können aber auch nach dem Buchwert bewertet werden (§ 6 Abs.1 Nr.4 EStG). Die auf diesen Wert entfallende Umsatzsteuer ist als Spende absetzbar.

Exkurs: Umsatzsteuerpflicht bei Sachspenden

Bereits seit 1.4.1999 gilt folgende Regelung zur Umsatzsteuerpflicht bei Sachspenden (§ 3 Abs.1b Nr.3 UStG): „...wird jede andere unentgeltliche Zuwendung eines Gegenstandes, ausgenommen Geschenke von geringem Wert oder Warenmuster für Zwecke des Unternehmens einer Lieferung gegen Entgelt gleichgestellt".

Die Folge dieses Satzes ist, dass Firmen, die Sachspenden aus ihrem Betriebsvermögen leisten, Umsatzsteuer nachzuzahlen haben. Die Höhe der an das Finanzamt zu zahlenden Umsatzsteuer richtet sich nach der Höhe des fiktiven Wiederbeschaffungswerts, also nicht nach dem Buchwert.

Zur Versteuerung ist nicht der Sachspendenempfänger, sondern das Unternehmen verpflichtet. Lediglich bei Sachspenden deren Wert 38 € nicht übersteigen, entfällt diese Nachversteuerung.

Laut BFH-Urteil vom 28.4.1978 sind *tatsächlich* entstandene Aufwendungen, z.B. von Vereinsvorständen im Rahmen ihrer Vereinstätigkeit, als Spenden absetzbar (z.B. Telefon-, Reise-, Portokosten, Verpflegungsmehraufwand).

Vereinfachter Spendennachweis

Mit der Umstellung auf den EURO ab 1.1.2002 änderte sich auch der Betrag für den vereinfachten Spendennachweis. Der Gesetzgeber hat im Gesetz zur Umrechnung und Glättung steuerlicher Euro-Beträge (Steuer-Euroglättungsgesetz – StEuglG) vom 19. Dezember 2000 den Paragraphen 50 Abs.2 Nr.2 der Einkommensteuer-Durchführungsverordnung geändert und die Angabe „100 Deutsche Mark" durch „100 Euro" ersetzt. Das bedeutet, dass alle Formulare, die Hinweise enthalten wie *„bis DM 100,- ist Ihre Spende auch ohne gesonderte Zuwendungsbestätigung gegen Vorlage des Bareinzahlungsbelegs oder der Buchungsbestätigung eines Kreditinstituts steuerlich absetzbar"* ab Januar „bis EURO 100,-" angeben müssen. Der Betrag des vereinfachten Spendennachweises wurde damit vom Wert her verdoppelt (siehe CD-ROM „vereinfacht.doc").

Haftung

Nach § 10b Abs.4 Satz 2 EStG gilt: „Wer vorsätzlich oder grob fahrlässig eine unrichtige Bestätigung ausstellt (*sog. Ausstellerhaftung*), oder wer veranlasst, dass Zuwendungen nicht zu den in der Bestätigung angegebenen steuerbegünstigten Zwecken verwendet werden (*sog. Verwendungshaftung*), haftet für die entgangene Steuer. Diese ist mit 40% des zugewendeten Betrags anzusetzen" die Haftungssumme kann sich noch um10 % für die entgangene Gewerbesteuer (§ 9 Nr. 5 GewStG) erhöhen, falls es sich um Unternehmensspenden handelt. In der Regel haften damit die unterschreibenden Vorstände.

Nach einer Verfügung der Oberfinanzdirektion in Frankfurt am Main vom 12.8.1992 wird im Falle der grob fahrlässigen oder vorsätzlichen Ausstellung von falschen Spendenbescheinigungen die Gemeinnützigkeit entzogen.

! **Aber:** Es handelt sich um keine Fehlverwendung nach § 10b Abs.4 Satz 2 EStG, wenn der Spendenempfänger die Zuwendung zu dem in der Bestätigung angegebenen steuerbegünstigten Zweck verwendet hat, obwohl er im Körperschaftsteuerveranlagungsverfahren nicht als gemeinnützig anerkannt wird (nach einer Entscheidung des FG München vom 03.06.2003).

Höhe des Spendenabzugs

Bis zu einer Höhe von 5% des Gesamtbetrags der Einkünfte (bzw. des Einkommens) oder von 0,2% der Summe der gesamten Umsätze plus der im Kalenderjahr aufgewendeten Löhne und Gehälter können Spenden von der Steuer abgesetzt werden. (§ 10b Abs.1 EstG)

Der Prozentsatz von 5% erhöht sich auf 10% für wissenschaftliche, als besonders förderungswürdig anerkannte kulturelle und mildtätige Zwecke.

z.B. **Beispiel:** Eine Angestellte verdient 25.000 € im Jahr, dazu kommen noch Mieteinnahmen von 10.000 €, ihre Gesamteinkünfte betragen also 35.000 € , von diesem Betrag kann sie für mildtätige Zwecke 3.500 € (10%-Regelung) spenden und damit steuermindernd geltend machen.

Ein weiteres Beispiel: Eine GmbH hat einen Jahresumsatz von 23 Mio. € und einen Aufwand an Löhnen und Gehältern von 2 Mio. €; Spenden für kulturelle Zwecke könnte sie also in einer Höhe von bis zu 50.000 € (0,2%-Regelung) steuermindernd geltend machen.

Einzelspenden von mindestens 25.565 € für wissenschaftliche, als besonders förderungswürdig anerkannte kulturelle und mildtätige Zwecke können in den vorangegangenen und in den fünf folgenden

Veranlagungszeiträumen im Rahmen der Höchstsätze abgezogen werden (bei der Einkommensteuer). Bei der Körperschaftsteuer – und Gewerbesteuer ist ein Vortrag in den sechs folgenden Veranlagungszeiträumen möglich.

Mitgliedsbeiträge

Auch für die Höhe von Mitgliedsbeiträgen gibt es Höchstgrenzen: sie liegen bei durchschnittlich 1.023 €/Jahr und Mitglied. Die Aufnahmegebühr darf durchschnittlich 1.534 €/Jahr und Neuaufnahme nicht überschreiten. Zuletzt gibt es auch eine Grenze für eine Investitionsumlage in Höhe von 5.113 € je Mitglied einmal in zehn Jahren oder in zehn Jahresraten.

Nach einem Schreiben des BMF vom 15.5.2000 darf der Verein für die Werbung neuer Mitglieder durch Dritte nicht mehr als 10% der Mitgliedsbeiträge aufwenden. Auch wenn eine Werbeaktion durch den Verein selbst durchgeführt wird, muss der Aufwand angemessen sein, da es hier keine konkreten Vorgaben gibt, am besten vorher mit dem Finanzamt besprechen.

Sponsoring

Die Anzahl der Unternehmen, die durch finanzielle Zuwendungen an soziale, kulturelle oder Umweltgruppen ihr Image aufbessern wollen, nimmt stetig zu.

Deshalb ist es auch für die Empfänger solcher Leistungen wichtig, die steuerrechtliche Differenzierung zwischen Sponsoring und Spenden zu kennen, zumal es gravierende Unterschiede zu beachten gilt.

Im Gegensatz zur Spende (vgl. § 10b EStG und § 9 Nr.3 KStG) steht beim Sponsoring den Geld-/Sachleistungen des Sponsors eine *Gegenleistung* des Leistungsempfängers (Verein) gegenüber.

In einem Schreiben des Bundesfinanzministeriums vom 9.7.1997 wurden mehrere Grundsätze zur steuerlichen Behandlung des Sponsoring festgelegt.

Sponsoring wird dabei als die Gewährung von Geld oder geldwerten Vorteilen durch Unternehmen zur Förderung von Personen, Gruppen und/oder Organisationen in sportlichen, kulturellen, kirchlichen, wissenschaftlichen, sozialen, ökologischen Bereichen verstanden, womit regelmäßig auch eigene unternehmensbezogene Ziele der Werbung oder Öffentlichkeitsarbeit verfolgt werden.

Auf Seiten des Sponsors sind damit verbundene Aufwendungen entweder

- Betriebsausgaben i.S.d. § 4 Abs.4 EStG,
- Spenden nach § 10b EStG, § 9, Abs.1 Nr.2 KStG, § 9 Nr.5 N GewStG oder
- steuerliche, nicht abzugsfähige Kosten der Lebensführung.

Als *Betriebsausgaben* können Aufwendungen gelten „wenn der Sponsor wirtschaftliche Vorteile“ hat, „die insbesondere in der Sicherung oder Erhöhung des unternehmerischen Ansehens liegen können“.

z.B.

Beispiele hierfür sind die Erwähnung des Sponsors auf Veranstaltungshinweisen, Ausstellungskatalogen, Fahrzeugen, Plakaten oder in audiovisuellen Medien, aber auch in der Verwendung des Logos des Empfängers durch den Sponsor. Es ist nicht notwendig, dass sich Leistung und Gegenleistung gleichwertig gegenüber stehen.

Spenden liegen vor, wenn es sich nicht um Entgelt für eine bestimmte Leistung handelt, und wenn kein tatsächlicher wirtschaftlicher Zusammenhang mit der Spendenleistung besteht.

Zur dritten Gruppe können Aufwendungen zählen, wenn ein Gesellschafter (einer Kapitalgesellschaft) durch die Zuwendungen begünstigt wird, z.B. eigene Aufwendungen als Mäzen erspart.

Beim steuerbegünstigten Empfänger (z.B. gemeinnütziger Verein) gibt es für die ertragssteuerliche Behandlung ebenfalls drei Alternativen:

- steuerfreie Einnahmen aus dem ideellen Bereich
- steuerfreie Einnahmen aus der Vermögensverwaltung
- steuerpflichtige Einnahmen eines wirtschaftlichen Geschäftsbetriebes.

Letzteres liegt dann vor, „wenn die Körperschaft an den Werbemaßnahmen mitwirkt“. „Wenn die steuerbegünstigte Körperschaft dem Sponsor nur die Nutzung ihres Namens zu Werbezwecken ... gestattet“, liegt kein steuerpflichtiger Wirtschaftsbetrieb vor.

Die Finanzverwaltung erkennt an, dass ein wirtschaftlicher Geschäftsbetrieb auch dann nicht vorliegt, wenn der Empfänger der Leistungen, z.B. auf Plakaten, Veranstaltungshinweisen, Eröffnungsveranstaltungen, in Ausstellungskatalogen oder in anderer Weise, auf die Unterstützung durch einen Sponsor lediglich hinweist. Dieser Hinweis kann unter Verwendung des Namens, Emblems oder Logos des Sponsors, jedoch ohne besondere Hervorhebung erfolgen.

In der Sache unterscheidet die Finanzverwaltung danach, ob sich eine gemeinnützige Einrichtung auf den Hinweis auf den Finanzierungsbeitrag des Sponsors beschränkt oder ob eine Werbetätigkeit für den Sponsor ausgeübt wird, die als gesonderte Mittelbeschaffungsaktivität zu beurteilen ist. In der Begründung nimmt die Finanzverwaltung an, es lägen bei dem Hinweis auf den Sponsor keine Einnahmen in einem wirtschaftlichen Geschäftsbetrieb vor.

Unabhängig von der Begründung ist nunmehr jedenfalls wieder sichergestellt, dass das für die Durchführung zahlreicher gemeinnütziger Aktivitäten mittlerweile unerlässliche Sponsoring vollständig den gemeinnützigen Zwecken zugeführt werden kann und damit den gemeinnützigen Körperschaften bei der Finanzierung ihrer wichtigen Tätigkeit ein wesentlicher Beitrag vollständig erhalten bleibt.

Zur zweckmäßigen Gestaltung des sog. Sponsorships sollten eindeutige vertragliche Vereinbarungen über Form, Zeitpunkt und Dauer der Leistung und Gegenleistung getroffen werden.

Ein Nachteil der Spende gegenüber dem Sponsoring ist in der beschränkten Spendenabzugsfähigkeit bei den Unternehmen begründet, bei denen – wie schon erwähnt – zurzeit laut § 10b EStG nur 0,2% der Summe der gesamten Umsätze und der im Kalenderjahr aufgewendeten Löhne und Gehälter als Sonderausgaben abzugsfähig sind.

Werbebusse

Häufig werden Vereinen kostenfreie Werbebusse angeboten. Diese Fahrzeuge sind in der Regel über und über mit Werbeschriften verschiedener Unternehmen versehen. Der Streit, ob dieser Werbebus zum wirtschaftlichen Geschäftsbetrieb eines Vereins zu zählen ist, ist vorläufig beendet.

Die OFD Frankfurt a.M. hat mit Verfügung vom 13.5.98 (S 0183 A –5 – St II12) bestimmt, dass bei einer Körperschaft nur dann ein steuerpflichtiger wirtschaftlicher Geschäftsbetrieb vorliegt, wenn sie vertraglich verpflichtet ist, das Fahrzeug über den eigenen Bedarf hinaus einzusetzen oder es werbewirksam abzustellen. Die in diesem Fall erbrachte Werbeleistung, die sich nach dem Wert des Fahrzeugs richtet, unterliegt dann dem vollen Umsatzsteuersatz von 16%. Wird das Fahrzeug ausschließlich für satzungsgemäße Vereinsfahrten genutzt, liegt steuerbegünstigte Vermögensverwaltung vor. Für die Werbeleistung fällt die ermäßigte Umsatzsteuer von 7% an.

Die Verpflichtung der gemeinnützigen Körperschaft, auf die Erzielung von Einnahmen durch vergleichbare Verträge mit anderen Partnern zu verzichten, begründet keinen wirtschaftlichen Geschäftsbetrieb. Hierin ist lediglich ein Anhaltspunkt für die Vermutung eines wirtschaftlichen Geschäftsbetriebs zu sehen.

Bei einer Einstufung als wirtschaftlicher Geschäftsbetrieb wäre der geldwerte Vorteil des Fahrzeugwerts als körperschaftspflichtige Einnahme zu versteuern.

! **Achtung Umsatzsteuerpflicht:** Erhalten Vereine Werbebusse durch eine vertraglich geregelte Eigentumsübereignung von einer Werbefirma (mit bereits angebrachter Werbung), liegt ein umsatzsteuerpflichtiger tauschähnlicher Umsatz vor. Die Bemessungsgrundlage für die Umsatzsteuer beim Werbepartner bemisst sich hierbei nach dem Einkaufspreis des Fahrzeugs, unabhängig von etwaigen Wertminderungen, die durch die vorhandenen Werbeaufdrucke bei späteren Wiederverkäufen durch den gemeinnützigen Verein eintreten können. Dies gilt insbesondere dann, wenn die vertragliche Verpflichtung für den begünstigten Verein besteht, dass die Werbefolien auf dem Fahrzeug während der Nutzung für den festgelegten Zeitraum (im Urteilsfall 5 Jahre) verbleiben müssen, beim Totalschaden oder Fahrzeugverlust die erneute Anbringung der Werbeaufkleber verlangt wird.
(FG München, Urteil v. 13.05.2004, 14 K 2886/03)

VEREINSRECHT STEUERN BUCHHALTUNG ARBEITSRECHT ZUWENDUNGSRECHT VERSICHERUNG ANHANG

Tombolas und Lotterien

Nichtöffentliche Tombolas sind grundsätzlich nicht lotteriesteuerpflichtig.

Kleinere öffentliche Tombolas sind steuerfrei (§ 18 RennwLottG), wenn der Gesamtpreis der Lose den Betrag von 650 € nicht übersteigt. Wenn die Lose den Betrag von 650 € übersteigen, aber noch unter 40.000 € liegen, mildtätigen, gemeinnützigen oder kirchlichen Zwecken zugute kommen und von einer zuständigen Behörde (Regierungspräsidium) genehmigt sind, dann sind auch diese Tombolas steuerfrei.

Diese Tombolas gelten dabei als Zweckbetriebe, die nur dem ermäßigten Umsatzsteuer von zurzeit 7% unterliegen. Bisher wurden nach § 68 Nr.6 AO Lotterieveranstaltungen u.a. nur dann dem Zweckbetrieb zugeordnet, wenn diese höchstens zweimal im Jahr veranstaltet wurden. Die Änderung des § 68 Abs.6 AO, wonach die Beschränkung auf höchstens zwei Veranstaltungen im Jahr weggefallen ist, gilt grundsätzlich rückwirkend ab 01.01.2000.

Auch Sachspenden für eine Tombola sind steuerbegünstigt, sämtliche Erlöse der Tombola müssen in diesem Fall ausschließlich für die steuerbegünstigten Zwecke verwendet werden.

Benefizveranstaltungen

Umsätze aus solchen Veranstaltungen (Spiele, Konzerte, Bälle u.ä.) zählen i.d.R. zu den Einnahmen des steuerpflichtigen wirtschaftlichen Geschäftsbetriebs. Dazu zählen auch etwaige Eintrittsgelder, da in diesem Fall ein Leistungsaustausch zwischen dem Besucher und dem Veranstalter stattfindet. Dabei ist es irrelevant, ob das Eintrittsgeld der gebotenen Leistung entspricht oder nicht.

Sämtliche Entgelte aus diesen Veranstaltungen unterliegen nach §12 Abs.1 Umsatzsteuergesetz dem vollen Steuersatz (16%) soweit wirtschaftliche Geschäftsbetriebe über den bestehenden Freigrenzen vorliegen. Spenden im Rahmen dieser Veranstaltungen sind nur dann abziehbar, wenn die Besucher unabhängig vom Eintrittsgeld freiwillig Zahlungen leisten.

Bußgelder

Als ein relativ unkomplizierter Weg, an Finanzmittel heranzukommen, erweist sich die Akquisition von Bußgeldern.

In der Bundesrepublik Deutschland werden jedes Jahr viele Millionen Euro an Bußgeldauflagen ausgesprochen. Allein in Bayern werden Bußgelder in Höhe von über 10 Mio. € verhängt. Wenn RichterInnen oder StaatsanwältInnen der Ansicht sind, eine Bußgeldauflage sei besser für den/die Angeklagte/n als eine Haftstrafe, wird der/die Beklagte verurteilt, einen bestimmten Betrag an die Staatskasse oder an einen gemeinnützigen Verein zu zahlen, der in der bei Gericht vorliegenden „Liste der gemeinnützigen Einrichtungen, denen in Straf- und Ermittlungsverfahren Geldauflagen zugesprochen werden können" geführt wird.

Gemeinnützige Vereine können bei den Gerichten beantragen, in die Bußgeldliste aufgenommen zu werden, damit ihrer Organisation für ihre Arbeit Bußgelder zugesprochen werden können. Wird der Name einer gemeinnützigen Einrichtung bei Gericht auf einer Liste geführt, bedeutet dies allerdings noch nicht, dass Bußgelder zugesprochen werden. RichterInnen entscheiden richterlich unabhängig und können auch anderen, nicht auf der Liste geführten gemeinnützigen Einrichtungen Bußgelder zukommen lassen.

Wenn ein Verein in die Bußgeldliste aufgenommen werden möchte, sollten folgende Unterlagen an die Präsidenten der Land- oder Oberlandesgerichte eingereicht werden:

- Name, Anschrift und Konto (Überweisungsbelege mit Angabe des Spendenkontos beilegen)
- Satzung
- Fotokopie oder beglaubigte Abschrift der Eintragung in das Vereinsregister
- Fotokopie der Gemeinnützigkeitsbescheinigung des Finanzamts
- Informationsmaterial.

Hat eine Einrichtung eine Geldbuße erhalten, ist es wichtig, dem zuweisenden Gericht darüber unverzüglich Mitteilung zu machen. Ein Akt kann erst geschlossen werden, wenn diese Rückmeldung erfolgt ist. Ein Gericht, das wiederholt nachfragen muss, wird einer Einrichtung voraussichtlich kein weiteres Mal eine Geldbuße zukommen lassen.

Jedes Landgericht führt eine Bußgeldliste. Den Richtern der Amts- und Landgerichte werden diese Listen jährlich übermittelt. Sinnvoll ist vor allem die Eintragung bei den Landgerichten in der Region, in der eine Einrichtung tätig ist. Ein bayerischer Richter kann allerdings z.B. auch einer Einrichtung in Hamburg Bußgelder zusprechen. Oberlandesgerichte führen auch überregional tätige Vereine auf ihren Bußgeldlisten. In Bayern gibt es 22 Landgerichte und drei Oberlandesgerichte (in Nürnberg, Bamberg und München).

Damit eine Einrichtung von den Gerichten öfter berücksichtigt wird, sollte nicht versäumt werden, sich bei möglichst vielen Gerichten eintragen zu lassen und regelmäßig RichterInnen persönlich anzusprechen.

Beachte: Auch wenn es selbstverständlich klingt – für Bußgelder gibt es natürlich keine Spendenbescheinigungen!

Rücklagen

Grundsätzlich gilt für alle Gelder, die in einen Verein fließen, der Zwang, die Mittel zeitnah zu verwenden. Ist dies nicht gewährleistet, wird die Gemeinnützigkeit gefährdet und steuerliche Konsequenzen drohen. Die Bedingungen für die Bildung von Rücklagen gemeinnütziger Vereine sind recht eng ausgelegt (vgl. § 58 Nr.6 und 7 AO).

Drei Formen der Rücklagenbildung sind möglich:

1. Die Bildung von Rücklagen für so genannte *periodisch wiederkehrende* Ausgaben, also z.B. Mieten, allgemeine Verwaltungskosten und Gehälter in Höhe des Mittelbedarfs für einen angemessenen Zeitraum ist zulässig (Anwendungserlass zur AO zu § 58 Nr.6), da dies erforderlich ist, um die steuerbegünstigten satzungsmäßigen Zwecke zu erfüllen. Unproblematisch sind hier Rücklagen in der Höhe von drei Monatsausgaben. Nach einer Broschüre des bayerischen Finanzministeriums sind sogar Rücklagen in der Höhe von zwölf Monatsausgaben zulässig. Auch Spenden dürfen den Rücklagen zugeführt werden.

2. Es sind zweckgebundene Rücklagen erlaubt.
   Bei zweckgebundenen Rücklagen sollte am besten ein schriftliches Protokoll über den Beschluss des Vorstandes oder der Mitgliederversammlung bezüglich des Zwecks, der Rücklagenhöhe und der voraussichtlichen Dauer der Rücklagenbildung angefertigt werden. Ein entsprechender Vermerk sollte bei den Jahresabschlüssen gemacht werden.
3. Und es gibt die Möglichkeit der Bildung von freien Rücklagen aus den Erträgen der Vermögensverwaltung, und zwar bis zur Höhe eines Drittel der Vermögenserträge.
   z.B.
   Beispiel: Die Festgeldzinsen belaufen sich in einem Jahr auf 900 €, d.h. ein Betrag von 300 € (ein Drittel) kann einer freien Rücklage zugeführt werden
   Zusätzlich können bis zu 10% der zeitnah zu verwendenden Mittel (Überschüsse eines Jahres) als freie Rücklagen eingestellt werden.

Auch bei der Beurteilung von Rücklagen haben Finanzämter Beurteilungsspielräume, so dass es vom Einzelfall abhängt, ob bei einer unkorrekten Rücklagenbildung steuerrechtliche Konsequenzen drohen.

Die Vermögensbildung ist auch unschädlich bei Zuwendung von Todes wegen, wenn der Erblasser keinen bestimmten Verwendungszweck bestimmt hat, bei Sachzuwendungen, die ihrer Natur nach zum Vermögen gehören (z.B. Immobilien) sowie bei Zuwendungen, die auf einen Spendenaufruf hin (ausdrücklich zum Zwecke der Vermögensbildung) gemacht wurden.

Bei der Anlage von Rücklagen bzw. Vermögen sind nur risikoarme Anlagen erlaubt, z.B. Festgeld, risikoarme Sparbriefe oder Fondsanteile.

Der BFH hat mit Urteil vom 15.7.1998, I R 156/94, unter anderem zur Rücklagenbildung im steuerpflichtigen Geschäftsbetrieb entschieden, dass „auch eine beinahe vollständige Thesaurierung (*Einbehaltung im wirtschaftlichen Geschäftsbetrieb, Anm. d. Verf.*) des Gewinns des steuerpflichtigen wirtschaftlichen Geschäftsbetriebs über einen längeren Zeitraum hinweg unschädlich für die Gemeinnützigkeit ist, wenn die Körperschaft nachweist, dass der Umfang der Gewinnthesaurierung zur Sicherung ihrer Existenz geboten war“.

Neben der steuerlichen Problematik der Rücklagenbildung existiert die zuwendungsrechtliche Problematik im Rahmen öffentlicher Finanzierung (siehe Kapitel *Zuwendungsrecht*).

Steuerarten

Für anerkannte gemeinnützige Vereine, die sich lediglich auf ihren ideellen Bereich beschränken, d.h. in keiner Weise wirtschaftlich tätig werden, fallen Körperschafts- und Gewerbesteuer gar nicht erst an, deswegen sind die Ausführungen hierzu bewusst kurz gehalten.

Beachte: Ein Verein ist mit seinen steuerpflichtigen wirtschaftlichen Aktivitäten von Körperschafts- und Gewerbesteuer befreit, sofern die Brutto-Einnahmen daraus 30.678 €/Jahr nicht überschreiten. Falls diese Steuern durch Überschreiten der Freigrenze anfallen sollten, ist in jedem Fall der Gang zum Steuerberater zu empfehlen.

Da Vereine rechtlich zu den Körperschaften zählen, unterliegen sie im Rahmen ihrer steuerpflichtigen Einkünfte (aus Sponsoring u.ä.) dem Körperschaftssteuergesetz (KStG), dem Gewerbesteuergesetz (GewStG) und mit ihren Einnahmen aus Lieferungen und Leistungen dem Umsatzsteuergesetz (UStG).

Aufteilung:

Bei der Frage, welche Steuern wann in welcher Höhe anfallen, ist die obige Aufteilung in

- ideellen Bereich,
- Vermögensverwaltung,
- Zweckbetrieb und
- steuerpflichtigen Wirtschaftsbetrieb

von wesentlicher Bedeutung (vgl. S. 57ff.).

So sind die Ertragssteuern, wie Körperschaftssteuer und Gewerbesteuer und der darauf entfallende Solidaritätszuschlag lediglich für den vierten Bereich, den des steuerpflichtigen Wirtschaftsbetriebs relevant. Wenn nachfolgend von Einnahmen oder Ausgaben die Rede ist, bezieht sich dies nur auf den Bereich des steuerpflichtigen Wirtschaftsbetriebs des Vereins!

Die Körperschaftssteuer

Zunächst zur *Körperschaftssteuer* (KSt): Sie ist abhängig von der Höhe eines eventuell erwirtschafteten Gewinns / Überschusses einer inländischen Körperschaft, in unserem Falle eines Vereins.
Zur Gewinnermittlung sind folgende Methoden zugelassen:

1. Überschussermittlung durch Vergleich der Einnahmen mit den Ausgaben; hierzu genügt buchhalterisch eine Einnahmen-/Ausgabenrechnung (§ 4 Abs.3 Einkommensteuergesetz EStG)
2. Vermögensvergleich durch Erstellung einer Bilanz und einer Gewinn- und Verlustrechnung (GuV) mittels der *doppelten Buchführung* (siehe auch Kapitel *Buchhaltung*).

Körperschaftssteuer-Berechnung:

Gesamtbetrag der Einkünfte
./. Verlustvortrag/-rücktrag
= Einkommen
./. Freibetrag nach § 24 KStG (3.835 €)
= zu versteuerndes Einkommen

Der Körperschaftssteuersatz beläuft sich 2006 auf 25%.

Die Gewerbesteuer

Die Gewerbesteuer ist etwas schwieriger zu berechnen: Sie hat nicht nur den Gewinn bzw. den Gewerbeertrag (Freibetrag 3.900 €) zur Grundlage, sondern zusätzlich die Hälfte der sog. Dauerschuldzinsen. Davon ist ein bestimmter Prozentsatzes des Einheitswertes eines vorhandenen Grundstückes abzuziehen.

Diese Besteuerungsgrundlagen dienen zur Ermittlung des Gewerbesteuermessbetrags durch das Finanzamt. Die Gemeinde erhebt die Gewerbesteuer unter Anwendung ihres Hebesatzes.

Je nach Höhe des Hebesatzes der zuständige Gemeinde beläuft sich die Höhe der Gewerbesteuer auf bis zu 15–20% des Gewinns, falls obiger Freibetrag überschritten wird.

Die Umsatzsteuer

Während die bisher behandelten Steuerarten nur für etwaige steuerpflichtige wirtschaftliche Geschäftsbetriebe zu beachten waren, kann die Umsatzsteuer auch für den Bereich der Vermögensverwaltung und für den Zweckbetrieb relevant werden.

Mit der Umsatzsteuer soll der Endverbraucher, der nicht die Möglichkeit hat, sich Vorsteuern erstatten zu lassen, belastet werden.

Für die Umsatzsteuer (USt) müssen zwei Voraussetzungen gegeben sein:

1. Es muss sich um so genannte *steuerbare* Umsätze handeln (z.B. Verkäufe oder sonstige Dienstleistungen an Kunden und Mitglieder, Eigenverbrauch u.a.); vgl. § 1 UStG. Keine steuerbaren Umsätze sind z.B. öffentliche Zuschüsse, Schadensersatzleistungen u.ä.
2. Es muss sich um Umsätze aus unternehmerischen Tätigkeiten handeln; hierzu zählen alle nachhaltigen Tätigkeiten, die zur Erzielung von Einnahmen dienen, auch ohne Gewinnerzielungsabsicht.

Diese zwei Bedingungen werden beim Verein von den Bereichen Vermögensverwaltung, Zweckbetrieb und steuerpflichtiger Wirtschaftsbetrieb erfüllt. In diesen Fällen gilt der Verein als Unternehmer!

!

Achtung: Nur dort, wo *steuerpflichtige* Umsätze anfallen – im Bereich des Wirtschaftens – können auch Vorsteuern geltend gemacht werden. Das heißt: Rechnungen aus dem ideellen Bereich dürfen nicht zum Vorsteuerabzug genutzt werden!

Aus Unternehmersicht handelt es sich bei der Umsatzsteuer um eine durchlaufende Steuer – durchlaufend deshalb, weil der Unternehmer die verausgabte Umsatzsteuer (sog. Vorsteuer) vom Finanzamt erstattet bekommt und die eingenommene Umsatzsteuer an das Finanzamt abzuführen hat.

Wenn es sich um steuerbare Umsätze handelt, sind sie entweder steuerfrei oder steuerpflichtig.

Abrechnung mit dem Finanzamt

Jeder Unternehmer muss die Umsatzsteuer aus dem Nettoentgelt berechnen und auf den Rechnungen entsprechend ausweisen.

Die Summe dieser vereinnahmten Umsatzsteuer wird dann vermindert um die verausgabte Vorsteuer, die der Unternehmer selbst bezahlt hat. Kann der Unternehmer mehr (gezahlte) Vorsteuern geltend machen, als er Umsatzsteuern eingenommen hat, ergibt sich eine Forderung an das Finanzamt, im umgekehrten Fall resultiert eine Steuerschuld. In unserem grafischen Beispiel (siehe Seite 88) übersteigt die Vorsteuer (3,20 €) die Umsatzsteuerschuld (1,60), d.h. der Verein hat eine Forderung gegenüber dem Finanzamt in Höhe der Differenz von 1,60 €.

Es existiert eine Vielzahl steuerfreier Umsätze; diese sind in § 4 UStG aufgeführt – hierzu ein Auszug aus den für Vereine relevanten Befreiungen:

„(18) – die Leistungen der amtlich anerkannten Verbände der freien Wohlfahrtspflege und der der freien Wohlfahrtspflege dienenden Körperschaften ..., die einem Wohlfahrtsverband als Mitglied angeschlossen sind, wenn

a) diese Unternehmer ausschließlich und unmittelbar gemeinnützigen, mildtätigen oder kirchlichen Zwecken dienen ...

b) die Leistungen unmittelbar dem nach der Satzung, Stiftung oder sonstigen Verfassung begünstigten Personenkreis zugute kommen und

c) die Entgelte für die in Betracht kommenden Leistungen hinter dem durchschnittlich für gleichartige Leistungen von Erwerbsunternehmen verlangten Entgelten zurück bleiben ...

(22) –

a) Vorträge, Kurse und sonstige Veranstaltungen wissenschaftlicher oder belehrender Art, die von ... Einrichtungen, die gemeinnützigen Zwecken ... dienen, durchgeführt werden, wenn die Einnahmen überwiegend zur Deckung der Unkosten verwendet werden,

b) andere kulturelle und sportliche Veranstaltungen, die von den in Buchstabe a genannten Unternehmern durchgeführt werden, soweit das Entgelt in Teilnehmergebühren besteht;

(23) – die Gewährung von Beherbergung, Beköstigung und der üblichen Naturalleistungen durch Personen und Einrichtungen, wenn sie überwiegend Jugendliche für Erziehungs-, Ausbildungs- oder Fortbildungszwecke oder für Zwecke der Säuglingspflege bei sich aufnehmen, soweit die Leistungen an die Jugendlichen oder an die bei ihrer Erziehung, Ausbildung, Fortbildung oder Pflege tätigen Personen ausgeführt werden. Jugendliche sind im Sinne dieser Vorschrift alle Personen vor Vollendung des 27. Lebensjahres ...

(25) – die folgenden Leistungen der ... förderungswürdigen Träger der freien Jugendhilfe ... :

a) die Durchführung von Lehrgängen, Freizeiten, Zeltlagern, Fahrten und Treffen sowie von Veranstaltungen, die dem Sport oder der Erholung dienen, soweit diese Leistungen den Jugendlichen oder Mitarbeitern in der Jugendhilfe unmittelbar zugute kommen ..."

Daneben gibt es Umsätze mit ermäßigtem Steuersatz von zurzeit 7%; darunter fallen alle nicht steuerfreien Umsätze der Zweckbetriebe (§ 12 Abs.2 Nr.8a UStG). So sind z.B. die Umsätze von Beschäftigungsprojekten, sofern sie Zweckbetriebe sind, nur mit 7% Umsatzsteuer zu belegen, für den Endverbraucher ist dies ein handfester Vorteil.

Fast alle anderen Umsätze unterliegen der vollen Umsatzsteuer – das sind derzeit 16% – bzw. ab 2007 voraussichtlich 19%.

Achtung: Leistungen einer Einrichtung der Wohlfahrtspflege an andere steuerbegünstigte Körperschaften sind nicht nach § 4 Nr. 18 UStG 1993 steuerfrei, wenn sie einer gemeinnützigen GmbH und deshalb nicht unmittelbar den in der Satzung bezeichneten hilfsbedürftigen Personen i.S. der §§ 53, 66 AO 1977 zugute kommen. Für diese Leistungen kann die Steuerermäßigung nach § 12 Abs.2 Nr.8a UStG gewährt werden, wenn die Voraussetzungen eines Zweckbetriebes (§§ 66, 65 AO 1977) erfüllt sind. Grundlage: AO 1977 § 53, § 60, § 65, § 66; UStG 1993 § 4 Nr. 18, § 12 Abs. 2 Nr. 8 Buchst. A; UStDV § 23 Nr. 4 (Urteil vom 18. März 2004 V R 101/01)

Umsatzsteuer

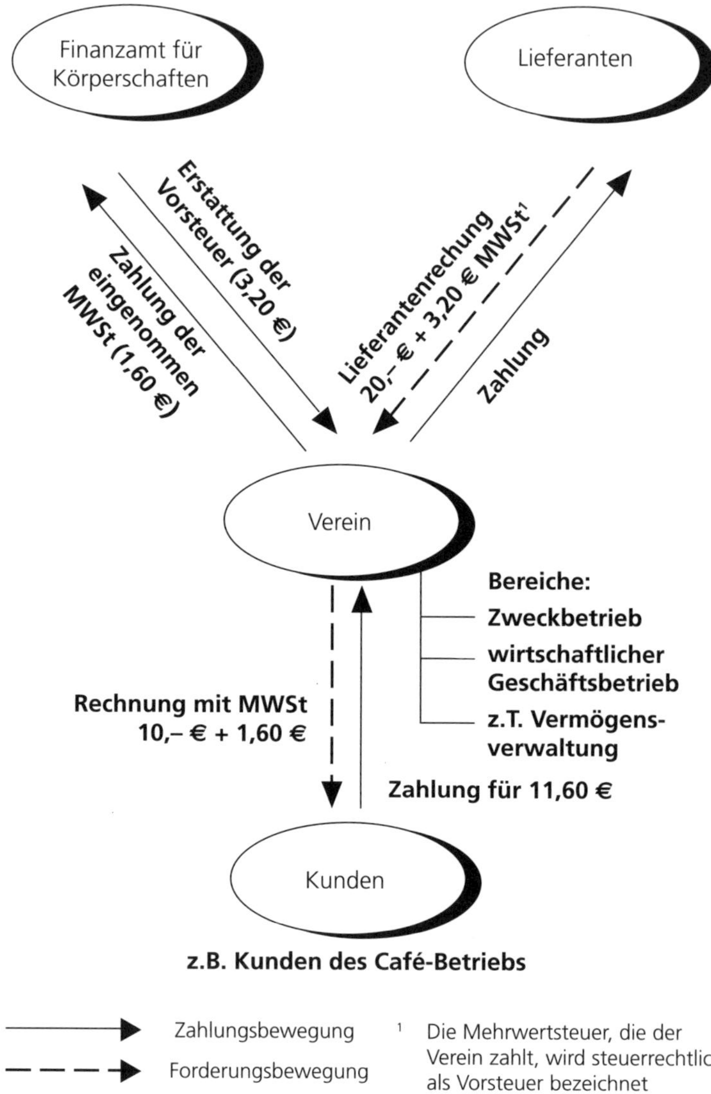

[1] Die Mehrwertsteuer, die der Verein zahlt, wird steuerrechtlich als Vorsteuer bezeichnet

Umsatzsteuer = Mehrwertsteuer!

Die Kleinunternehmerregelung

Für alle Vereine, die wegen Arbeitsüberlastung durch die Umsatzsteuerberechnung bereits aufgeben wollten – hier (vielleicht) der rettende Strohhalm des Finanzamts:

Nach § 19 UStG wird eine Umsatzsteuer dann nicht erhoben, wenn

1. der Umsatz des Vorjahres 17.500 € (inkl. MWSt.) nicht überschritten hat und
2. der Umsatz des laufenden Jahres 50.000 € (inkl. MWSt.) voraussichtlich nicht überschreiten wird.

Der Verein muss in diesen Fällen keine Umsatzsteuer an das Finanzamt abführen, darf natürlich auch keine Umsatzsteuer in Rechnung stellen; entsprechend entfällt auch der Vorsteuerabzug.

Die Regelbesteuerung

Der Verein kann auch die *Regelbesteuerung* wählen, d.h. auch wenn er die obigen Grenzen der Kleinunternehmerregelung nicht überschreitet, wird er wie ein Unternehmen behandelt, das diese Grenzen überschreitet. Das kann sinnvoll sein, wenn die *Vorsteuererstattung* für die nächsten fünf Jahre voraussichtlich höher sein wird, als die abzuführende Umsatzsteuer. Fünf Jahre deshalb, weil der Verein fünf Jahre an diese Option gebunden ist. Die Regelbesteuerung kann für die Vereine interessant sein, deren Zweckbetriebe nur dem *ermäßigten* Umsatzsteuersatz unterliegen und die deshalb eher in den Genuss der Vorsteuererstattung kommen. Auf alle Fälle sollte vorher genau berechnet werden, ob die Option ein finanzieller Vorteil für den Fünf-Jahreszeitraum sein kann oder nicht.

Was bei der Regelbesteuerung zu beachten ist

Bemessungsgrundlage für die an das Finanzamt abzuführende Umsatzsteuer ist das Entgelt oder beim Eigenverbrauch der Einkaufspreis bzw. die Selbstkosten. Hier handelt es sich um die Umsatzsteuer, die der Verein auf seine Produkte aufschlägt. Diese muss auf den gestellten Rechnungen entsprechend ausgewiesen werden.

Auf der anderen Seite gibt es die Vorsteuer. Das ist die vom Finanzamt zu erstattende Umsatzsteuer. Diese muss auf den zu zahlenden Rechnungen gesondert ausgewiesen sein; bis zu einem Betrag von 100 € genügt jedoch die Angabe „inkl. gesetzl. MWSt.".

Der Vorsteuerabzug darf nur im unternehmerischen Bereich des Vereins durchgeführt werden.

Vorsteueraufteilung

Um das Ganze noch etwas verwirrender zu gestalten, hat sich der Gesetzgeber drei unterschiedliche Arten der Vorsteueraufteilung ausgedacht. Diese sind zu beachten, wenn empfangene Lieferungen und Leistungen sowohl dem unternehmerischen Bereich, für den der Vorsteuerabzug erlaubt ist, zugute kommen sollen als auch dem nichtunternehmerischen Bereich, für den der Vorsteuerabzug nicht erlaubt ist:

1. Die Aufteilung erfolgt nach dem Verhältnis aller Einnahmen des Vereins, d.h. wenn der Verein z.B. 20% Einnahmen aus dem unternehmerischen Bereich hat, kann er die Vorsteuer von 20% der vorsteuerabzugsfähigen Ausgaben geltend machen.
2. Der Verein führt eine genaue Trennung nach wirtschaftlicher Zugehörigkeit durch, d.h. jede einzelne Einnahme bzw. Ausgabe wird dem jeweiligen Bereich zugeordnet (aufwändig, aber eventuell steuersparend).
3. Es kann auch die pauschale Berechnung mit 7% vom unternehmerischen (d.h. ohne steuerfreie Umsätze) Umsatz (§ 23a UStG) fristgerecht beantragt werden, wenn der Vorjahresumsatz kleiner als 30.678 € war.

An die Methoden 1. und 3. ist der Verein fünf Jahre gebunden.

Bewirtungsumsätze bei Theateraufführungen umsatzsteuerfrei

Bewirtungsumsätze, die anlässlich einer steuerfreien Theaterleistung erbracht werden, können als mit dieser üblicherweise verbundene Nebenleistung angesehen werden und damit ebenfalls steuerfrei nach § 4 Nr. 20 a UStG sein. Dies ist der Fall, wenn sie als „unerlässlich" i.S. von Art. 13 Teil A Abs. 2 der 6. EG-Richtlinie anzusehen sind, weil das Bewirtungsangebot in den Theaterpausen einen integralen Bestandteil der Theaterveranstaltung darstellt, ohne den sich ein Betreiber nicht am Markt behaupten kann.

!

Hinweis: Nach § 4 Abs.20a UStG sind die Umsätze folgender Einrichtungen des Bundes, der Länder, der Gemeinden oder der Gemeindeverbände umsatzsteuerfrei: Theater, Orchester, Kammermusikensembles, Chöre, Museen, botanische Gärten, zoologische Gärten, Tierparks, Archive, Büchereien sowie Denkmäler der Bau- und Gartenbaukunst. Das gleiche gilt für die Umsätze gleichartiger Einrichtungen anderer Unternehmer, wenn die zuständige Landesbehörde bescheinigt, dass sie die gleichen kulturellen Aufgaben wie die in Satz 1 bezeichneten Einrichtungen erfüllen. Museen im Sinne dieser Vorschrift sind wissenschaftliche Sammlungen und Kunstsammlungen.

Die Umsatzsteuerbefreiung von Bewirtungsleistungen würde von der herrschenden steuerrechtlichen Behandlung abweichen. Es bleibt die Revison durch den Bundesfinanzhof abzuwarten.
(FG Münster - Urteil v. 11.02.2003 - 15 K 2961/02 U)

Die Umsatzsteuer beim Engagement ausländischer Künstler

Bei soziokulturellen Vereinen werden häufig ausländische Künstler engagiert, sowohl für Benefizveranstaltungen als auch für Kulturfestivals. Was dabei häufig nicht bedacht wird, ist die umsatzsteuerliche Problematik.

Wenn ein Verein als Veranstalter im ideellen oder wirtschaftlichen Bereich tätig ist, hat er für bestimmte Leistungen, die für ihn erbracht werden (z.B. Musikdarbietung), die Umsatzsteuer von der dem Verein gestellten Rechnung einbehalten. Dies gilt auch für Vereine, die unter die so genannte Kleinunternehmerregelung fallen mit einem Umsatz unter 17.500 € im Vorjahr (§ 19 UStG).

Die Leistungen der im Ausland ansässigen Künstler unterliegen dem so genannten Abzugsverfahren, da es sich um „sonstige Leistungen" handelt. Abzugsverfahren heißt, dass vom Rechnungsbetrag, den der Verein zu zahlen hat, die Umsatzsteuer einzubehalten und an das Finanzamt abzuführen ist. Die Umsatzsteuerabführung ist den Künstlern zu bescheinigen.

Falls die Leistung der Künstler steuerfrei sein sollte, muss dies belegt werden.

In der Regel wird der ermäßigte Steuersatz von 7% einzubehalten sein, gemäß der Ermäßigungsregelung in § 12 Abs.2 Nr.7a UStG: „... sowie die Veranstaltung von Theatervorführungen und Konzerten durch andere Unternehmer".

Im folgenden Fall ist das Abzugsverfahren nicht anzuwenden – dieser Fall wird als Nullregelung bezeichnet:

1. Die ausländischen Künstler weisen die Umsatzsteuer auf ihrer Rechnung nicht aus und
2. der Verein könnte die Umsatzsteuer in voller Höhe als Vorsteuer geltend machen.

Die Anwendung der Nullregelung hat der Verein den Künstlern zu bescheinigen. Der Verein haftet für die abzuführende Umsatzsteuer.

Umsatzsteuermeldung (§ 18 UStG)

Eine Umsatzsteuerjahreserklärung muss nach Ablauf des Jahres abgegeben werden. Ab einer gewissen Höhe der Steuerschuld gibt es zusätzlich die Notwendigkeit der Abgabe von Voranmeldungen (Formulare beim Finanzamt anfordern), und zwar:

- vierteljährlich, wenn die Steuer des Vorjahres 512 € überstiegen hat,
- monatlich, wenn die Steuer des Vorjahres 6.136 € überschritten hat.

Es besteht die Möglichkeit einer Dauerfristverlängerung, damit ist es möglich die Abgabefrist der Umsatzsteuererklärung um einen Monat zu verschieben. Ein Muster eines Antrages auf Dauerfristverlängerung befindet auf der beigefügten CD-ROM.

Grundsteuer

Wenn der Grundbesitz einem gemeinnützigen Verein gehört und vom Eigentümer oder anderen Begünstigten (anderer gemeinnütziger Verein) genutzt wird, tritt eine Steuerbefreiung ein (§ 3 GrStG).

Grunderwerbsteuer

Die Grunderwerbsteuer ist eine Rechtsverkehrsteuer. Ihr unterliegen insbesondere Kaufverträge und sonstige Rechtsgeschäfte, die einen Anspruch auf Übereignung eines inländischen Grundstücks begründen. Auch steuerbegünstigte Vereine sind nicht von der Grunderwerbsteuer befreit, seit 1997 beträgt sie 3,5% der Bemessungsgrundlage. Im Rahmen der Neuordnung der Bund-Länder-Beziehungen im Grundgesetz (Föderalismus-Kommission) wird den Ländern die Bestimmung des Steuersatzes bei der Grunderwerbsteuer übertragen, der Zeitpunkt der Umsetzung war zur Drucklegung des Buches allerdings noch offen.

Erbschaftssteuer und Schenkungssteuer

Gemeinnützige Vereine sind bei allen Vermögenserwerben aus Erbschaften und Schenkungen steuerbefreit, sofern sie zum Zeitpunkt der Erbschaft/Schenkung die Bedingungen der Begünstigung erfüllt haben.

Die Befreiung fällt nachträglich weg, wenn innerhalb von zehn Jahren beim Empfänger die Voraussetzungen für die Gemeinnützigkeit wegfallen, d.h. dass damit nachträglich die Steuern anfallen würden.

Auf S. 94/95 befindet sich eine systematische Übersicht über die

Übersicht über die (nicht) anfallenden Steuern

Einnahmen /Überschüsse	Umsatzsteuer	Körperschaftssteuer	Gewerbesteuer
ideeller Bereich			
Mitgliedsbeträge, Spenden echte Zuschüsse	entfällt	entfällt	entfällt
Vermögensverwaltung			
Kapitalerträge	entfällt	entfällt	entfällt
Einnahmen aus einmaliger oder langfristiger Vermietung und Verpachtung von Grundstücken, Gaststättenräumen ohne Inventar	entfällt	entfällt	entfällt
Einnahmen aus gelegentlicher oder langfristiger Vermietung und Verpachtung von Inventar, beweglichen Gegenständen u.a.	steuerpflichtig: 7%; Freigrenze von 17.500 €	entfällt	entfällt
Zweckbetriebe			
Kulturelle Veranstaltungen; Vorträge und Kurse wissenschaftlicher oder belehrender Art	entfällt	entfällt	entfällt
sonstige Zweckbetriebe, z.B. therapeutische Beschäftigungsgesellschaften, Werkstätten für Behinderte, Bildungsreisen, Vermietung an Mitglieder	steuerpflichtig: 7%; Freigrenze von 17.500 €	entfällt	entfällt

Einnahmen /Überschüsse	Umsatz-steuer	Körper-schafts-steuer	Gewerbe-steuer
wirtschaftliche Geschäftsbetriebe			
z.B. Basare, Eine-Welt-Läden, Verkauf von Speisen und Getränken, Sponsoringeinnahmen (bei aktiver Gegenleistung des Vereins), kurzfristige und nachhaltige Vermietung an Nichtgemeinnützige/ Nichtmitglieder, Trikotwerbung	Freigrenze von 17.500 €; Vorsteuerpauschale von 7% des steuerpflichtigen Umsatzes, wenn im Vorjahr 50.000 € nicht überschritten worden sind	steuerpflichtig, wenn die Einnahmen die Besteuerungsgrenze von 30.678 € überschreiten werden; Freibetrag beträgt 3835 €	steuerpflichtig, wenn die Einnahmen die Besteuerungsgrenze von 30.678 € überschreiten werden; beim Gewerbeertrag beträgt der Freibetrag 3900 €, beim Gewerbekapital beträgt der Freibetrag 60.000 €

Vereinsbereiche und ihre steuerliche Relevanz.

Der Zinsabschlag bei Kapitalerträgen

Seit Anfang 1993 wird von den Banken für Kapitalerträge generell ein Zinsabschlag von 30% einbehalten. Dies betrifft nicht *gemeinnützige* Vereine, da der Zinsabschlag lediglich eine Vorauszahlung auf die Körperschaftssteuer ist, von der solche Vereine ja befreit sind. Es betrifft aber sehr wohl Kapitalerträge, die einem steuerpflichtigen *Wirtschaftsbetrieb* eines Vereins zufließen.

Um von diesem Zinsabschlag befreit zu werden, muss der gemeinnützige Verein beim zuständigen Finanzamt einen *Freistellungsbescheid* anfordern und diesen dann der Bank vorlegen. Falls es sich um einen neugegründeten Verein handelt, genügt der Bank die Vorlage des Bescheids über die vorläufige Anerkennung der

Gemeinnützigkeit. Wenn der Verein, aus welchen Gründen auch immer, weder die vorläufige Anerkennung der Gemeinnützigkeit noch einen gültigen Freistellungsbescheid besitzt, ist die Beantragung eines *Nichtveranlagungsbescheids* nach § 44a EStG möglich; dieser gilt maximal drei Jahre. Der Nichtveranlagungsbescheid wirkt wie ein Freistellungsbescheid.

In der Regel weisen Banken auf den Ablauf der Gültigkeit der oben genannten Bescheide hin, so dass rechtzeitig Folgebescheinigungen beantragt werden können.

Falls der Zinsabschlag bereits einbehalten worden ist, wird er auf Antrag vom Finanzamt wieder rückerstattet.

Die Bauabzugsteuer

Fallen bei Ihrem Verein Neubauten, Bauerweiterungen oder umfangreichere Renovierungen an, sollte Ihnen die beauftragte Handwerksfirma bei allen Rechnungen ab dem 1.1. 2002 eine Freistellungsbescheinigung des zuständigen Betriebsstättenfinanzamts vorlegen. Es genügt eine Kopie, die zu den Bauunterlagen genommen werden muss. Liegt die Freistellungsbescheinigung vor, kann man als Verein den geltend gemachten Rechnungsbetrag in voller Höhe zahlen.

Liegt diese nicht vor oder kann der Handwerker diese nicht rechtzeitig zur Verfügung stellen, ist zu prüfen, ob die einzelne Rechnung über mehr als 5.000 € lautet. 5.000 € ist eine Freigrenze, d.h. beträgt die Rechnung 5.001 €, ist ein Steuerabzug verpflichtend. Der Steuerabzug ist auch dann zu beachten, wenn die endgültige Schlussrechnung noch nicht vorliegt, sondern im Jahr 2002 Abschlagszahlungen angefordert werden. Gegenüber dem Handwerker ist die Freigrenze für das ganze Jahr zu beachten. Dies bedeutet: Der Verein muss zusammenrechnen, ob er das Jahr über gesehen aufgrund verschiedener Rechnungen über die 5.000-Euro-Grenze kommt. Spätestens mit der letzten Rechnung wäre dann der Einbehalt von 15 % vorzunehmen.

Wenn der Verein als Vermieter oder Verpächter auftritt und in diesem Zusammenhang Rechnungen für Bauleistungen ab 2002

3

Buchhaltung

Auch Vereine sind aufgrund verschiedener gesetzlicher Grundlagen zumindest zur Führung von geordneten Aufzeichnungen bezüglich der Einnahmen und Ausgaben verpflichtet. Bei größeren Vereinen wird eine Einnahmen-/Ausgaben-Rechnung häufig nicht mehr ausreichen und wird deshalb i.d.R. die doppelte Buchführung praktizieren.

Die Entscheidung, ob die Buchhaltung selbst oder über eine Buchhaltungsfirma gemacht werden sollte, hängt von den Antworten auf folgende Fragen ab:

- Gibt es eine kompetente und zuverlässige Person für diese Aufgabe innerhalb des Vereins?
- Ist Kontinuität gewährleistet oder ist ein häufiger Wechsel der verantwortlichen Person zu befürchten?
- Sind steuerliche Probleme zu erwarten?
- Sind die finanziellen Mittel für eine Vergabe an eine externe Firma/Steuerberater gegeben?

Die Buchhaltung hat mehrere Aufgaben zu erfüllen, die zum einen vereinsinterner Natur sind (s.a. § 259 Abs.1 und § 260 Abs.1 BGB):

- Erfassung und Darstellung der Kapitalverwendung und -herkunft
- Bestandsverzeichnis
- Erfolgs- / Verlustauskunft
- Informationen für Finanzplanung, Kalkulation u.a.

Zum anderen erfüllt sie externe Aufgaben, die auf gesetzlichen Vorgaben beruhen, zugleich kann sie aber auch Grundlage einer internen Revision und eines Rechenschaftsberichts sein:

- Besteuerungsgrundlage (Abgabenordnung – AO, diverse Steuergesetze)
- Aufzeichnungspflicht (vgl. § 63 Abs.3 AO)
- Buchführungspflicht aufgrund steuerpflichtiger wirtschaftlicher Geschäftsbetriebe des Vereins (§§ 38ff. HGB und §§ 160ff. AO)
- Nachweis der tatsächlichen Geschäftsführung
- Nachweis über verausgabte Zuschussmittel (Haushaltsordnung öffentlicher Geldgeber)

u.a.

EDV-Buchprüfung

Seit dem 1. Januar 2002 darf die Finanzverwaltung über die Buchführungsunterlagen und Belege hinaus auch die betriebliche EDV und die dort gespeicherten Daten überprüfen (§ 147 Abs.5 und 6 AO). Im Schreiben vom 16.7.2001 (BStBl. I 2001, 415, FR 2001, 859) wurden die Grundsätze zum Datenzugriff und zur Prüfbarkeit digitaler Unterlagen veröffentlicht.

Dabei sind dem Prüfer die notwendigen technischen Hilfsmittel (PC, Drucker) zur Verfügung zu stellen. Für die EDV-Daten heißt dies, dass sie noch nach zehn Jahren maschinell (PC) lesbar sein müssen, auch wenn zwischenzeitlich eine Systemumstellung stattgefunden haben sollte. Das Recht auf Datenzugriff beschränkt sich ausschließlich auf Daten, die für die Besteuerung von Bedeutung sind (Finanz-, Anlagen- und Lohnbuchhaltung). Insbesondere bei exotischeren Buchhaltungsprogrammen kann dies zu späteren Problemen führen.

Methoden der Finanzbuchhaltung

1. Die Einnahmen-/Ausgaben-Rechnung

Falls ein Verein ausschließlich ideell tätig ist und keinerlei gewerblichen Tätigkeiten nachgeht, genügt dem Gesetzgeber eine ordnungsgemäße Aufzeichnung aller Einnahmen und Ausgaben während eines Geschäftsjahres. Der Erfolg wird dabei am Ende des Jahres durch die Gegenüberstellung der Einnahmen und Ausgaben ermittelt.

Die Mindestanforderung ist im § 145 (1) AO festgelegt; danach muss eine Buchführung so beschaffen sein, dass sich ein sachverständiger Dritter innerhalb einer angemessenen Zeitspanne einen Überblick über die Geschäftsvorfälle und die wirtschaftliche Lage des Unternehmens bzw. des Vereins verschaffen kann.
Deshalb müssen folgende Aufzeichnungen geführt werden:

- Sowohl bare als auch unbare Vorgänge müssen in chronologischer Reihenfolge erfasst werden;
- ebenso Forderungen und Verbindlichkeiten;
- ein Inventarverzeichnis mit angeschafften Gegenständen (s.a. § 260 Abs.1 BGB) ist zu führen;
- desgleichen Lohnaufzeichnungen.

Die Belege müssen geordnet aufbewahrt werden.

Die unbaren Vorgänge – d.h. alles, was über das Bankkonto abgewickelt wird – sind in einem sog. Grundbuch aufzuzeichnen.

Die baren Vorgänge werden in einem Kassenbuch chronologisch aufgezeichnet; nach § 146 (1) Satz 2 AO sollen hier die Einnahmen und Ausgaben täglich festgehalten werden, d.h. nur in begründeten Ausnahmefällen darf hiervon abgewichen werden. Die Erfahrung zeigt, dass diese Vorschrift sehr sinnvoll ist, da dadurch größere Kassenfehlbestände vermieden werden bzw. die Ursachen von Fehlbeträgen leichter nachvollzogen werden können. Das Kassenbuch ist nach dem gleichen Schema aufgebaut wie das Grundbuch (siehe Beispiel).

zB.

Beispiel für ein Grundbuch

Datum	Vorgang	Beleg-Nr.	Betrag in €
1.1.06	Miete Januar	1	1.000,00
1.1.06	GEMA-Geb.	2	261,00
1.1.06	Strom/Gas	3	165,00
...	...	...	...

Ein Beispiel eines *Jahresabschlusses* einer Einnahmen-/Ausgabenrechnung findet sich im Kasten auf der nächsten Seite.

Bestehende Forderungen und Verbindlichkeiten sowie Rücklagen (siehe auch Kapitel *Steuern* und Kapitel *Zuwendungsrecht*) sind dabei gesondert aufzuführen, um ein realistisches Bild der Vermögensverhältnisse geben zu können. Rücklagen sind angesparte Mittel, die zweckgebunden sein können (z.B. für eine beabsichtigte Renovierung des Vereinshauses in den nächsten Jahren), aber auch zweckfrei gebildet werden können; allerdings ist die Bildung freier Rücklagen im Rahmen der Gemeinnützigkeit und des Zuwendungsrechts nur eingeschränkt möglich (siehe S.81f.).

Rücklagen sind Eigenkapital. Rückstellungen werden zu einem bestimmten Zweck und für damit zu erwartende Zahlungen gebildet, und zwar für der Höhe nach unbestimmte Verbindlichkeiten. Rückstellungen sind im Gegensatz zu Rücklagen also Fremdkapital; typisches Beispiel sind Rückstellungen für Prozesskosten, deren Höhe vorab wegen der Unsicherheit des Prozesserfolgs nicht zu bestimmen ist.

Für wirtschaftliche Geschäftsbetriebe sind die Aufzeichnungen getrennt vom ideellen Bereich zu erstellen (siehe auch Kapitel *Steuern*).

Erst wenn eines der folgenden Kriterien eintritt, wird ein Verein buchführungspflichtig, d.h. er hat eine sog. doppelte Buchführung mit Gewinn- und Verlustrechnung und Bilanz zu praktizieren (siehe § 140, 141 AO): wenn

1. die Umsätze, einschl. der umsatzsteuerfreien Umsätze, des Kalenderjahres über 350.000 € liegen oder

zB.

Beispiel eines Jahresabschlusses einer Einnahmen- und Ausgabenrechnung

Einnahmen

Mitgliederbeiträge
Spenden
- zweckgebunden
- nicht-zweckgebunden

Zuschüsse
Kapitalerträge
Erbschaften
Bußgelder
Miet- / Pachteinnahmen

Summe der Einnahmen

Ausgaben

Personalkosten
- Löhne
- Honorare
- geringfügig Beschäftigte

Sachkosten
- Miete
- Büromaterial
- Porto

Projektkosten A
...
Projektkosten B
...

Summe der Ausgaben

Einnahmen minus Ausgaben = Überschuss/ Verlust

2. der Gewinn aus Gewerbebetrieb 30.000 € überschreitet.

Diese Grenzen betreffen nur den Bereich der **gewerblichen Tätigkeit** (siehe Abschnitt *Der wirtschaftliche Geschäftsbetrieb*). Die übrigen Bereiche sind von diesen Grenzen und den damit verbundenen Verpflichtungen nicht betroffen, sofern der Verein gemeinnützig ist. Die Bilanzierungspflicht tritt aber erst nach der Aufforderung durch das Finanzamt ein.

2. Die doppelte Buchführung

Die doppelte Buchführung ist häufig nur ein Teil eines umfassenden Rechnungswesens, das aus folgenden Bestandteilen aufgebaut ist:

– *Finanzbuchhaltung / Buchführung*

Sie dient der planmäßigen, lückenlosen Aufzeichnung von Geschäftsvorfällen im zeitlichen Ablauf.

– *Kosten- und Leistungsrechnung*

Sie ermittelt die Höhe, den Ort und die Art der entstandenen Kosten, außerdem dient sie zur Ermittlung von Preisen.

– *Statistik*

In ihr werden Kennzahlen aus obigen Bereichen ermittelt und es werden Vergleichsrechnungen angestellt.

– *Planungsrechnung*

Ein typisches Beispiel ist die Erstellung eines Finanzplans für eine künftige Periode; sie ermöglicht eine entsprechende Kontrolle von finanziellen Bewegungen.

Die Bezeichnung doppelte Buchführung rührt daher, dass bei jedem Geschäftsvorfall (jede buchungsmäßige Transaktion) die Buchung auf zwei Konten durchgeführt wird.

zB.

Beispiel: Der Geschäftsführer des Vereins xy kauft im Schreibwarenladen eine Packung Radiergummis.

In diesem Fall wären die Konten *Kasse* (weil Barzahlung) und *Büromaterial* betroffen. Auf beiden Konten wird eine Buchung durchgeführt.

Soll	**sogenanntes T-Konto**	**Haben**
je nach Art des Kontos Zu- oder Abnahmen		je nach Art des Kontos Ab- oder Zunahmen

Doch was ist ein Konto? Ein Konto ist nichts anderes als die Gegenüberstellung der Zu- und Abnahmen von – in unserem Beispiel – der Kasse und des Büromaterialaufwands.

Mit dem Begriff des Kontos verbinden sich auch die berüchtigten Soll und Haben; sie könnten auch *links* und *rechts* heißen, was wesentlich leichter zu begreifen wäre.

Je nach Kontenart befinden sich die Zunahmen auf der linken oder der rechten Seite des Kontos; hierzu später mehr.

Der zweite Aspekt der doppelten Buchführung ist, dass nicht die tatsächlichen Zahlungsvorgänge gebucht werden, sondern der Zeitpunkt des Entstehens einer Forderung (wir bekommen noch Geld von jemandem) oder Verbindlichkeit (wir schulden jemandem Geld) relevant ist.

Beispiel: Bei der Einnahmen-/Ausgabenrechnung buchen Sie eine Rechnung erst, wenn sie bezahlt wird, d.h. wenn die Zahlung getätigt worden ist, bei der doppelten Buchführung dagegen buchen Sie i.d.R. bereits zum Zeitpunkt des Rechnungsempfangs (Sollverbuchung).

Der Verein muss also nicht extra ein Verzeichnis der Forderungen und Verbindlichkeiten führen, da dies bereits durch die doppelte Buchführung erledigt wird.

Ein weiterer Unterschied zur Einnahmen-/Ausgabenrechnung liegt in der Erstellung einer Bilanz und einer Gewinn- und Verlustrechnung.

Die Bilanz ist eine Gegenüberstellung der Mittelverwendung (Kasse, Bank, Forderungen) und der Mittelherkunft (Eigenkapital, Verbindlichkeiten); die Konten der Bilanz werden auch als Bestandskonten bezeichnet.

In der Gewinn- und Verlustrechnung werden alle Bewegungen, die „erfolgswirksam" sind, berücksichtigt. Erfolgswirksam heißt, dass diese Bewegungen den Gewinn bzw. Verlust beeinflussen;

Beispiel für eine Journalseite

Vorspalten				Bestandskonten				Aufwandskonten				Ertragskonten	
				Bank		Kasse							
Datum	Kassenbeleg-Nr.	Kontoauszug	Text	Ein	Aus	Ein	Aus	Miete	Personal	Porto	Telefon	Spenden	Mitgliedsbeiträge
2006													
			Anfangsbestand*										
01.01.	1		Mietgliederspende			100,-						100,-	
10.01.		1	Spende Großspur	1000,-									1000,-
10.01.		1	Telefonanschluss		70,-						70,-		
15.01	2		Briefmarken				100,-			100,-			
25.01		2	Honorar		100,-				100,-				
28.01.		3	Miete		300,-			300,-					
28.01.	3	3	Barabhebung		200,-	200,-							
05.02.		4	Mitgliedsbeitrag	20,-									20,-
Summe				1020,-	670,-	300,-	100,-	300,-	100,-	100,-	70,-	1100,-	20,-
Übertrag				350,-		200,-		300,-	100,-	100,-	70,-	1100,-	20,-

zB.

Der Gewinn ist in diesem Beispiel folgendermaßen zu ermitteln:

1. durch Bestandsvergleich: Summe der Spalten *Ein* der aktiven Bestandskonten (Kasse, Bank) abzüglich der Summe der Spalten *Aus*,
2. durch Bildung der Differenz der Summen der Aufwandskonten und der Summen der Ertragskonten.

In beiden Fällen sollte das gleiche Ergebnis herauskommen, in unserem Fall 550,– € Gewinn.

* Der Anfangsbestand ist nur im Gründungsjahr 0; z.B. wäre der Anfangsbestand für 2006 gleich dem Endbestand in 2005. Hätte es vom Vorjahr Schlussbestände gegeben, z.B. 50,– € in der Kasse, dann hätte dieser Betrag in der Zeile *Anfangsbestand* unter *Kasse Ein* eingetragen werden müssen.

hier werden alle Aufwendungen und Erlöse (sog. Erfolgskonten) verbucht. Denn jede Aufwendung verringert den Gewinn, so wie jeder Erlös den Gewinn wieder erhöht.

Ein einfaches Beispiel soll dies veranschaulichen. (Vergleichen Sie die folgenden Ausführungen mit der *Journalseite*, die auf der Seite 104 abgebildet ist.)

Der Verein xy hat sich neu gegründet und hat folgende Geschäftsvorfälle:

zB.

1) Mitglied Arthur spendet dem Verein 100 € und legt sie in die Kasse.
2) Der Mäzen Großspur überweist 1.000 €.
3) Für den Telefonanschluss werden 70 € überwiesen.
4) Der Vorstand kauft für 100 € Briefmarken.
5) Der Verein überweist eine Honorarrechnung in Höhe von 100 €.
6) Der Verein überweist seine monatliche Miete von 300 €
7) Der Vorstand hebt 200 € von der Bank ab.
8) Der Mitgliedsbeitrag von Julia geht auf der Bank ein, 20 €.

Die Endbestände ergeben bei der Kasse 200 € und bei der Bank 350 €; der Vermögensvergleich zwischen Mittelverwendung (Kasse und Bank) und Mittelherkunft (Verbindlichkeiten) ergibt den Betrag von 550 €, der dem Gewinn der Abrechnung der Erfolgskonten entspricht.

Im Gegensatz zur Einnahmen-/Ausgabenrechnung wird also hier der Gewinn doppelt ermittelt, einmal durch den Vermögensvergleich und zum anderen durch die Gewinn- und Verlustrechnung.

Dies ermöglicht auch eine interne Kontrolle, die die Einnahmen-/Ausgabenrechnung nicht zu bieten hat.

Denn wenn eine Buchung nicht korrekt ausgeführt worden ist, zeigt sich das in den unterschiedlichen Gewinnergebnissen bei den Bestandskonten (Bilanz) und den Erfolgskonten (Gewinn- und Verlustrechnung).

Dieses sog. Amerikanische Journal, wie in obigem Beispiel dargestellt, ist die übersichtlichste Form der doppelten Buchführung, und nach einer kurzen Einführung begreifen auch Laien, wie die Buchungen durchzuführen sind. Die Konten sind hier in Spaltenform angelegt. Vor allem für kleinere Vereine mit einem geringen Buchungsanfall und mit einer geringen Anzahl von Konten ist diese Form zu empfehlen. Buchungsfehler zeigen sich früh und sind entsprechend einfach zu korrigieren.

Aufbewahrungsfristen

Ein Verein muss Kassenbücher, Vermögensaufstellungen, Konten, Inventare, Bilanzen und ähnliche Unterlagen zehn Jahre aufbewahren. Der Gesetzgeber hat die Aufbewahrungsfrist für Buchungsbelege (Rechnungen und andere Belege über Ein- und Ausgaben) nunmehr der zehnjährigen Frist für die Verjährung von Steuerhinterziehung angepasst. Die Verlängerung der Aufbewahrungsfrist ist auf Unterlagen beschränkt, für die die Aufbewahrungsfrist im Zeitpunkt des Inkrafttretens des Steueränderungsgesetzes 1998 noch nicht abgelaufen ist. Das heißt, die Buchungsunterlagen des Jahres 1992 sind über den 31.12.1998 hinaus aufzubewahren, und zwar bis zum 31.12.2002 (§ 147 Abs.3 und Abs.4 AO). Geschäftsbriefe müssen sechs Jahre aufbewahrt werden.

Die Aufbewahrungsfrist beginnt zum Ende des Jahres, in welchem die jeweilige Unterlage zuletzt bearbeitet worden ist.

Beleganforderungen

Für jede Buchung muss es eine schriftliche Grundlage geben, daher kommt die Buchhalterfaustregel „Keine Buchung ohne Beleg“. Belege können Rechnungen sein, Überweisungsabschnitte u.a.

Bei Rechnungen oder Quittungen über einen Betrag von mehr als 100,- € müssen i.d.R. folgende Kriterien erfüllt sein, um für den Vorsteuerabzug anerkannt werden zu können (gem. § 14 Abs.4 i.V.m. § 14a Abs.5 UStG):

- vollständiger Name und Anschrift des leistenden Unternehmers und des Leistungsempfängers
- Steuernummer oder Umsatzsteueridentifikationsnummer

- Ausstellungsdatum der Rechnung
- fortlaufende Rechnungsnummer
- Menge und handelsübliche Bezeichnung der gelieferten Gegenstände oder die Art und den Umfang der sonstigen Leistung
- Zeitpunkt der Lieferung bzw. Leistung
- nach Steuersätzen und -befreiungen aufgeschlüsseltes Entgelt
- im Voraus vereinbarte Minderungen des Entgelts
- Entgelt und hierauf entfallender Steuerbetrag sowie Hinweis auf Steuerbefreiung
  ggf. Hinweis auf Steuerschuld des Leistungsempfängers

Für Rechnungen bis 100 € genügen folgende Angaben:

- vollständiger Name und vollständige Anschrift des leistenden Unternehmers,
- das Ausstellungsdatum,
- Menge und Art der gelieferten Gegenstände oder die Art und den Umfang der sonstigen Leistung
- Entgelt und Steuerbetrag für die Lieferung oder Leistung in einer Summe,
- Steuersatz oder
- im Fall einer Steuerbefreiung ein Hinweis darauf, dass für die Lieferung oder sonstige Leistung eine Steuerbefreiung gilt.

Die Vereinfachung für Kleinbetragsrechnungen gilt nicht im Rahmen der Versandhandelsregelung (§ 3c UStG), bei innergemeinschaftlichen Lieferungen (§ 6a UStG) und bei der Steuerschuldnerschaft des Leistungsempfängers nach § 13b UStG (§ 33 UStDV).

Neben Kleinbetragsrechnungen müssen auch Fahrausweise keine fortlaufende Nummer enthalten.

Urteil zum Thema Belegpflicht

Das Finanzamt darf eine Umsatzsteuererstattung nicht ablehnen, bloß weil der Unternehmer keine Originalrechnung mehr besitzt. Nach einem Urteil des Europäischen Gerichtshofs (EuGH) sind in einem solchen Fall alle anderen Dokumente zuzulassen, die den fraglichen Umsatz beweisen (Az.: C 85/95).

VEREINSRECHT STEUERN BUCHHALTUNG ARBEITSRECHT ZUWENDUNGSRECHT VERSICHERUNG ANHANG

EDV-Buchhaltung

Inzwischen haben auch in vielen Vereinen die Ärmelschoner ausgedient und es wird zunehmend mit der Möglichkeit geliebäugelt, die Finanzbuchhaltung über EDV abzuwickeln. Ist die Skepsis auch anfangs groß, will nach einer mehr oder weniger langen Einarbeitungszeit kaum ein/e Buchhalter/in wieder darauf verzichten – zu groß ist der gesteigerte Komfort.

Für diejenigen, die sich noch nicht für ein bestimmtes Programm entschieden haben, sollen die nachfolgend aufgeführten Kriterien eine entsprechende Kaufentscheidung erleichtern.

Zunächst ist zu klären, ob der Buchhaltungsumfang überhaupt die Anschaffung eines PC und Programms erfordert; wenn das herkömmliche Buchen pro Monat nicht mehr als 1 bis 2 Stunden erfordert, rechtfertigt die EDV-bedingte Zeiteinsparung kaum die Investition, noch dazu, wenn die – meist erhebliche – Einarbeitungszeit berücksichtigt wird.

Gemäß § 63 Abs.3 der Abgabenordnung sind selbst kleine Vereine aufzeichnungspflichtig, d.h., dass zumindest die Einnahmen und die Ausgaben ordnungsgemäß aufgezeichnet werden müssen. Buchhaltungsprogramme dieser Art gibt es bereits für ca. 100 €.

Ein wichtiger Punkt ist auch die Person, die die Buchhaltung führt: Zeigt sie die Bereitschaft und die Befähigung, sich in ein solches Programm einzuarbeiten?

Einige Programmanforderungen:
Das Programm sollte die Grundsätze ordnungsgemäßer Buchführung beachten, d.h., dass z.B. durch die Buchführung Abschlüsse und Auswertungen termingerecht bereitgestellt und die Zahlungsbewegungen termingerecht überwacht werden können.

Erfüllt das Programm die Anforderungen hinsichtlich Dokumentation (Konten, Journal, Gewinn- und Verlustrechnung (GuV), Bilanz) und Manipulationssicherheit? Hat das Programm das Prüfsiegel eines Wirtschaftsprüfers? Erfüllt es die Grundsätze ordnungsgemäßer Buchführung (GOB)?

Einige Fragen zu den Hardwarevoraussetzungen:
- Welches Betriebssystem ist für das Programm nötig? (Windows 95/98/2000/NT, XP, Linux)
- Wie groß ist der Speicherbedarf auf der Festplatte?
- Welcher Prozessortyp ist erforderlich (Pentium II,III, IV)?
- Welche Kapazität des Arbeitsspeichers ist erforderlich?
- Wie groß muss der Speicher für das Programm und die Zahl der benötigten Buchungen sein, um eine angemessene Schnelligkeit zu gewährleisten?

Ebenso ist die Anpassungsfähigkeit an den möglicherweise schon vorhandenen Drucker zu prüfen.

Weitere Kriterien:
- Kann ein Kontenrahmen (Kontengliederung) frei erstellt werden (kann man seinen eigenen Kontenplan basteln?), wieviele Konten können eingerichtet werden?
- Ist eine unabhängige Verwaltung von Sach-, Kreditoren- und Debitorenkonten möglich?
- Können Buchungen sowohl als Dialog- als auch als Stapelbuchung durchgeführt werden? Wie komfortabel bzw. zeitaufwändig ist die Verbuchung?
- Sind Splitbuchungen möglich? (z.B. wenn eine Anschaffung von zwei Zuschussgebern finanziert wird)
- Sind Zwischenabschlüsse von Teilperioden möglich? (z.B. Monatsabrechnung)
- Gibt es eine Offene-Posten-Verwaltung? (in ihr kann z.B. eine Liste noch offener Forderungen erstellt werden)
- Ist die Abwicklung eines Mahnverfahrens mit verschiedenen Mahnstufen möglich / notwendig?
- Ist die Datensicherung geregelt?
- Gibt es einen verlässlichen Passwortschutz?
- Sind automatische Stornobuchungen möglich?
- Werden Fehlbuchungen wirksam erschwert?
- Wie komfortabel ist die Benutzerführung, gibt es ein effizientes Hilfeprogramm?
- Gibt es eine Anlagenbuchhaltung
- Service: Programmeinweisung, Hotline, Demodiskette,

handelt es sich um einen etablierten Anbieter, kann ich einen Updateservice in den nächsten Jahren erwarten?
- Laufende Kosten obigen Services?

Qualität der Auswertungen:
Für die meisten kleinen Vereine genügt als Ausdruck eine Summen- und Saldenliste, die einzelnen Kontenblätter und die *Überschussrechnung* bzw. bei der doppelten Buchführung die Gewinn- und Verlust-Rechnung und die Bilanz.

Bei wirtschaftlichen Tätigkeiten (z.B. Zweckbetrieb) sollte auch der Ausdruck einer Umsatzsteuervoranmeldung möglich sein und eines *Offene-Posten-Journals*, ebenso der Ausdruck von Überweisungen. Bei einem umfangreichen Zahlungsverkehr über die Bank sollte ein Datenträgeraustausch (per Diskette oder Btx) möglich sein, was außerdem die Kosten der Kontoführung reduziert.

Je nach Notwendigkeit detaillierter Informationen ist nach der Qualität der statistischen Auswertungen zu fragen: Ist zum Beispiel auch ein *Soll/Ist-Vergleich* möglich?

Bei Vereinen mit mehreren Geschäftsbereichen kann die Fähigkeit des Programms, mehrere Mandanten zu verwalten (*Mandantenfähigkeit*) oder die Möglichkeit Kostenstellen einzurichten, notwendig werden.

Schnittstellen:
Eine meist heikle Frage ist die nach der Ausbaufähigkeit und Kombinierbarkeit von Finanzbuchhaltungsprogrammen mit anderen Programmen. Meist empfiehlt es sich von vornherein ein Programm zu kaufen, dessen Hersteller weitere Zusatzprogrammme anbietet; Kompatibilitätsprobleme sind dadurch meist ausgeschlossen.

Je nach Projekttätigkeit/-umfang können folgende Ausbauprogramme sinnvoll sein:
- Auftragsbearbeitung und Fakturierung
- Bestellwesen
- Lohn- und Gehaltsabrechnung
- Lagerverwaltung
- Vereinsverwaltung (z.B. Mitgliederverwaltung)
- Verknüpfung mit Tabellenkalkulation.

Die letztgenannte Tabellenkalkulation hat den Vorteil, dass man sich ein eigenes, auf seine Bedürfnisse zugeschnittenes Programm für die obigen Zwecke (Lagerverwaltung, Hochrechnungen etc.) basteln kann. Der damit verbundene Arbeitsaufwand sollte aber keinesfalls unterschätzt werden.

Für viele Vereine (Sozialdienste, Sport u.a.) gibt es inzwischen spezielle Branchenlösungen, die Eigenheiten der Branche bereits im Programm berücksichtigen.

Ebenso gibt es inzwischen eine Vielzahl von Vereinsverwaltungsprogrammen, in denen Mitgliederverwaltung und Finanzbuchhaltung integriert sind.

Ein letzter **Tipp**: Auf alle Fälle sollte vor dem Kauf das Programm in der Praxis getestet werden, entweder bei befreundeten Vereinen oder mittels einer Demo-CD-ROM. (Siehe auch Programme auf der CD-ROM).

Kassenprüfung/Revision

Eine Prüfung der Geschäftsführung durch Revisoren (oder der Kassenführung durch Kassenprüfer) kann entweder von der Satzung angeordnet oder von der Mitgliederversammlung beschlossen werden. Der Beschluss kann sich auf die gesamte Geschäftsführung der Amtszeit erstrecken oder auch nur die Prüfung eines beschränkten Zeitraumes oder eines Einzelprojekts anordnen.

Wurde z.B. vom Vorstand ein außergewöhnlich umfangreiches Projekt durchgeführt, kann die Mitgliederversammlung die Überprüfung der Buchführung durch einen Wirtschaftsprüfer anordnen.

In aller Regel wird die Revisorentätigkeit in kleineren Vereinen ehrenamtlich wahrgenommen. Die Wahl / Bestellung erfolgt, wenn nichts anderes in der Satzung bestimmt ist, durch die Mitgliederversammlung. Auch Nichtmitglieder können mit der Prüfung beauftragt werden, z.B. SteuerberaterIn / WirtschaftsprüferIn.

Kein Verein ist gesetzlich zu einer Kassenprüfung oder Revision verpflichtet, es sei denn, er hat einen entsprechenden Passus in seiner Satzung verankert.

Eine vereinsinterne Revision hat sich in der Praxis jedoch als recht nützlich erwiesen; Fehler und Mängel können dadurch bereits in ihrem Anfangsstadium aufgezeigt und behoben werden, ehe größerer Schaden entsteht.

Die Hauptaufgabe der Revision besteht in der Überprüfung und Kontrolle der Geschäftsführung des Vorstands bzw. seiner Vertreter, insbesondere bezüglich der Verwendung der Vereinsgelder. Der Vorstand ist verpflichtet, den Revisoren alle notwendigen Informationen zur Verfügung zu stellen. Es ist ratsam, in der Mitgliederversammlung eine Art Checkliste über den Umfang der Prüfungstätigkeiten zu beschließen, um der Revision die Arbeit zu erleichtern.

In der Regel schließt die Prüfungstätigkeit folgende Bereiche ein:

- Allgemeine Überprüfung der Tätigkeiten der Vereinsleitung in Bezug auf ihre Satzungsmäßigkeit
- Kassenüberprüfung (Barbelegstichproben)
- Überprüfung der übrigen Konten (keine Buchung ohne Beleg)
- Überprüfung des Mitgliederstands und der eingegangenen Beiträge
- Liste der offenen Forderungen und Verbindlichkeiten
- Übereinstimmung der Kontenabschlüsse mit den Daten des Jahresabschlusses
- Überprüfung der Anlagekonten
- Sparsame und sachlich korrekte Mittelverwendung
- Vollständigkeit der schriftlichen Unterlagen (Vorstandsbeschlüsse, Personalunterlagen, steuerrelevante Unterlagen, Verträge, Zuschussunterlagen u.a.).

zB.

Ein wesentliches Augenmerk sollte auch auf die Qualifikation der Revision gelegt werden: Ein gewisses Maß an Buchhaltungserfahrung sollte gegeben sein.

Ein Revisionsbericht ist außerdem ein sehr geeignetes Mittel, eine objektive Grundlage für die Entlastung des Vorstands in der Mitgliederversammlung zu schaffen.

Notwendigkeit langfristiger Planung

Von den Kostensenkungsprogrammen bei der öffentlichen Hand ist der Non-Profit-Bereich mit seinen Vereinen ganz unmittelbar betroffen. Manche dieser Entwicklungen lassen sich absehen und daraus resultierende Krisen kündigen sich häufig frühzeitig an.

Der nachfolgend dargestellte typische Verlauf zeigt, dass der alleinige Blick auf die (Ist-)Zahlen der Buchhaltung zur Prävention einer Krise nur bedingt nutzt. Um Krisen zu vermeiden und damit die Existenz zu sichern, müssen vor allem Instrumente langfristiger Planung (Stärken-/Schwächen-Analyse, Umfeldanalyse, Portfolioanalyse u.a.) angewendet werden. Nie darf über dem Tagesgeschäft die strategische Perspektive vergessen werden.

Typische „Meilensteine" einer Krise sind nachfolgend dargestellt:

1. Am Beginn steht die **strategische Krise**. Hier wird versäumt, die Geschäftsstrategie auf entsprechende z.B. gesetzliche Änderungen anzupassen. Es werden Angebote fortgeführt, deren gesetzliche Grundlagen auslaufen. Meist werden in dieser Phase so genannte schwache Signale ignoriert – Gesetzesverfahren, Rechtssprechung (auch auf europäischer Ebene), Äußerungen von Regierungspolitikern, Parteien u.a. Auch neue Anbieter werden gerne zunächst ignoriert. Typischerweise werden neue Entwicklungen „verschlafen". Tückischerweise gibt es in dieser Phase noch keine zahlenmäßig negativen Auswirkungen.
2. Die Folgen sind in der **Rentabilitätskrise** zu sehen: Die Erträge sinken. Oft herrscht zu diesem Zeitpunkt noch die Hoffnung, dass es schon irgendwie mit dem bisherigen Angebot weitergehen wird.
3. Wenn die Erträge die Aufwendungen nicht mehr decken, befindet sich eine Einrichtung bereits in der **Ertragskrise**. Hier setzen häufig Kostensenkungsprogramme ein, die bisweilen mehr Schaden anrichten als nutzen. Insbesondere bei den Beschäftigten kann hier unbedachtes Vorgehen in hohem Maße demotivierend wirken, und damit wiederum zu Kostensteigerungen/Ertragsminderungen führen. Wenn es in dieser Phase nicht geschafft wird, das Ertragsloch zu überbrücken, um neue Geschäftsfelder zu erschließen, folgt

4. die **Liquiditätskrise**: Hier werden Rechnungen nicht mehr pünktlich bezahlt. Die Geschäftsführung wird regelmäßig bei der Bank vorstellig, um den Kreditspielraum zu verhandeln. Die Bank verlangt nach meist nicht vorhandenen Sicherheiten und gibt, wenn keine Verbesserung in Sicht ist, in der Regel keinen weiteren Kredit. Dies hat fast immer die Insolvenz – aufgrund von Zahlungsunfähigkeit – zur Folge. Unter Umständen kommen auch noch Haftungsfolgen für Vorstand und/oder Geschäftsführung dazu.

Basel II

Vorneweg, dieser Abschnitt ist nur für jene Vereine relevant, die planen über eine Bank ein Darlehen aufzunehmen bzw. Darlehen verlängern müssen. Diese Vereine müssen sich die Frage stellen, was sich hinter dieser in der Fachpresse herumgeisternden kryptischen Bezeichnung verbirgt und ob es irgendeine Relevanz für den eigenen Verein hat. Zunächst zur Enstehungsgeschichte:

Basel ist der ständige Sitz des Ausschusses für Bankenaufsicht bei der ebenfalls in Basel ansässigen Bank für Internationalen Zahlungsausgleich (BIZ). Bereits 1988 wurde die erste Richtlinie des Ausschusses zur Eigenkapitalhinterlegung für Risikokredite herausgegeben, dieses wurde bereits Basel I bezeichnet. Diese Richtlinie Basel I besagt nach der Banken Risikokredite grundsätzlich mit 8% Eigenkapital zu hinterlegen haben, um möglichen Kreditausfällen vorzubeugen, d.h. für 10.000 Euro Kredit an einen Verein, ein Unternehmen oder eine Privatperson musste die Bank 800 Euro Eigenkapital halten. Die kalkulatorischen Kosten für das Eigenkapital sind höher als für Fremdkapital, somit kalkuliert die Bank für einen Kredit an einen Kunden einen höheren „Einstandssatz“, d.h. den Zinssatz, den sie im Durchschnitt für ihre Kapitalbeschaffung ausgibt. Kredite an kleine und mittlere Unternehmen (KMU), die ein Gesamt-Kreditvolumen von weniger als 1 Mio. Euro bei dem Kreditinstitut aufweisen, werden wie Kredite an Privatkunden behandelt. Je nach Wahl des Ratingansatzes und der durchschnittlichen Bonität des Portfolios müssen Kreditinstitute für

die Kreditvergabe Eigenkapital in Höhe von 0,4 bis 6,62 Prozent vorhalten – und damit deutlich weniger als die bisher pauschal veranschlagten 8 Prozent.
Die Bonität eines Vereins wird anhand der Kriterienbereiche

- Kapitalstruktur
- Wettbewerbsfähigkeit
- Fremdfinanzierungsmöglichkeiten
- Fremdfinanzierungsquote
- Erträge
- Informationsqualität und
- Managementqualitäten

beurteilt, die Banken haben anhand obiger Kriterienbereiche entsprechende Bewertungsraster entwickelt, um die Kreditwürdigkeit zu überprüfen.

4

Arbeitsrecht

Spätestens dann, wenn der Verein Personen gegen Entgelt beschäftigt, wird es notwendig, sich mit den entsprechenden vertraglichen Rahmenbedingungen und Konsequenzen vertraut zu machen. Das wesentliche Augenmerk wird in diesem Kapitel auf die Unterscheidung zwischen selbstständiger und nichtselbstständiger Beschäftigung sowie auf die geringfügigen Arbeitsverhältnisse gerichtet.

Mögliche Vertragsformen von Beschäftigungsverhältnissen

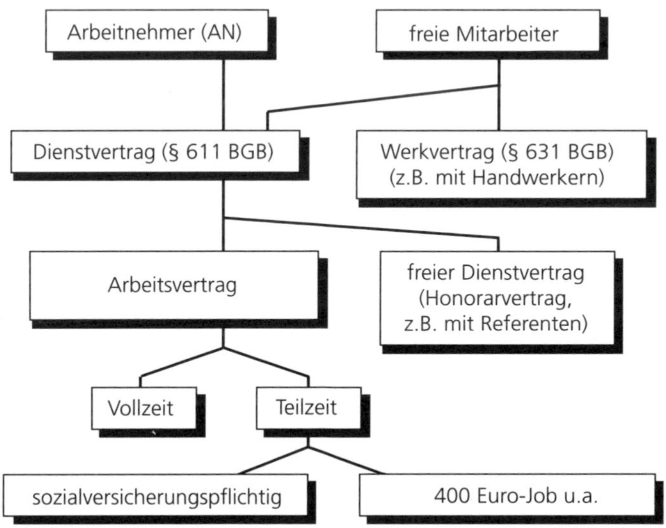

Die Abbildung auf der vorigen Seite zeigt eine Übersicht der möglichen vertraglichen Spielarten von Beschäftigungsverhältnissen.

Die freie Vertragsgestaltung, bezogen auf die möglichen Beschäftigungsverhältnisse, findet überall dort ihre Grenzen, wo Bestimmungen des Arbeitsrechts (Arbeitszeitordnung), Gewerbeordnung, Jugendarbeitsschutzgesetz, Mutterschutzgesetz, tarifliche Bestimmungen, Betriebsvereinbarungen u.ä. greifen.

Der Dienstvertrag

Das Dienstvertragsrecht (geregelt im § 611ff. BGB) sieht zwei mögliche Ausprägungen vor, zum einen den

- Arbeitsvertrag (abhängiges Beschäftigungsverhältnis mit Arbeitnehmerstatus), zum anderen den
- *freien* Dienstvertrag (oft auch als Honorarvertrag bezeichnet). Bei letzterem fehlt u.a. das wichtige Merkmal der persönlichen Abhängigkeit (siehe auch Abgrenzungskriterien S.142).

Bei einem Dienstvertrag geht es um die *Vereinbarung der Leistung bestimmter Dienste.*

Ein solches Dienstverhältnis liegt bei so genannten Organmitgliedern juristischer Personen vor (Organmitglieder machen eine juristische Person erst handlungsfähig, z.B. Geschäftsführer einer GmbH, Vorstandsmitglieder des e.V.); diese zählen im engeren Sinne nicht zu den Arbeitnehmern (§ 5 Abs.1 Satz 3 ArbGG), unterliegen aber in der Regel der Sozialversicherungspflicht, sofern es sich um eine bezahlte Tätigkeit handelt.

Wenn *tatsächlich* entstandene Kosten vergütet werden (Kosten für Fahrten, Reisen, Porto, Telefon, Sitzungen), liegt kein Arbeitslohn vor.

Wird aber eine *pauschale* Vergütung vorgenommen, dann wird Arbeitslohn unterstellt.

In diesem Fall ist folgender Inhalt des BFH-Beschlusses vom 8.8.2001 - I B 40/01 zu beachten:

Bei satzungsmäßiger Verpflichtung zur ehrenamtlichen Vorstandstätigkeit ist die Zahlung von Tätigkeitsvergütungen oder diesen gleichzusetzenden Aufwandsentschädigungen an Vorstandsmitglieder *gemeinnützigkeitsschädlich*, d.h. damit würde die Steuerbegünstigung des Vereins gefährdet. Um in diesem Falle eine Vergütung zahlen zu können, müssen Satzungsbestimmungen über die Verpflichtung zur ehrenamtlichen Vorstandstätigkeit durch satzungsändernden Mitgliederbeschluss aufgehoben oder eingeschränkt werden, und dies bevor Vorstandsmitgliedern entsprechende Vergütungen oder Aufwandsentschädigungen gezahlt werden. Selbstverständlich müssen diese Beschlüsse auf der Mitgliederversammlung entsprechend klar gefasst und protokolliert werden.

Der Arbeitsvertrag

Arbeitnehmer (laut § 1 LStDV) ist, wer sich in persönlicher Abhängigkeit (Arbeitsverhältnis) zur Arbeitsleistung gegen Entgelt verpflichtet (siehe auch § 19 EStG Nichtselbstständige Arbeit).

Nach § 2 II Ziff.1 SGB IV sind diejenigen Personen in allen Zweigen der gesetzlichen Krankenversicherung *pflicht*versichert, die gegen Entgelt beschäftigt sind. Beschäftigung ist nach § 7 I SGB IV die nichtselbstständige Arbeit, insbesondere in einem Arbeitsverhältnis.

Die frühere Ungleichbehandlung von Angestellten und Arbeitern im Falle der Kündigung wurde nach einem Grundsatzurteil im Oktober 1993 aufgehoben (siehe auch S.137).

Der Arbeitsvertrag ist die rechtliche Basis des Arbeitsverhältnisses; die frühere Formfreiheit wurde 1995 abgelöst von einer Pflicht, den Arbeitsvertrag schriftlich abzuschließen und zwar spätestens innerhalb eines Monats nach dem vereinbarten Beginn des Arbeitsverhältnisses. Diese Pflicht bezieht sich nicht auf die vorübergehende Beschäftigung von Aushilfen. Beim Vertragsinhalt sind die guten Sitten (§§ 134, 138 BGB) und die Grundsätze des Arbeitsrechts – auf die später noch eingegangen wird – zu wahren.

Ein Mustertext eines Arbeitsvertrages findet sich auf der CD-ROM.

Rechte und Pflichten des Arbeitgebers Verein

Im Rahmen der abhängigen Beschäftigung hat der Verein als Arbeitgeber folgende Rechte und Pflichten:

- *Direktionsrecht* (Weisungsbefugnis) des Arbeitgebers über Zeit, Ort und Inhalt der vom Arbeitnehmer zu erbringenden Leistung (es kann auch über den Inhalt des Arbeitsvertrags eingeschränkt werden. Beispiel: Jemand, der als Buchhalter eingestellt wurde, muss nicht als Pförtner arbeiten). Bei sehr verantwortungsvollen Tätigkeiten spricht man auch von der „funktionsgerechten, dienenden Teilhabe am Arbeitsprozess".
- Die *Fürsorgepflicht* ist größtenteils normiert in Bestimmungen wie Arbeitsstättenverordnung, Arbeitssicherheitsgesetz, Gesetz zum Schutz vor gefährlichen Stoffen u.ä.
- *Vergütungspflicht* heißt, dass der Arbeitgeber verpflichtet ist, dem Arbeitnehmer eine Vergütung zu zahlen; besteht für die Parteien eine Tarifbindung, so darf die vereinbarte Vergütung die tarifliche nicht unterschreiten. Es besteht für Vereine dann eine Tarifbindung, wenn sie einem entsprechenden Arbeitgeberverband angeschlossen sind oder sich freiwillig zu einer tariflichen Bezahlung entschließen.
- *Sozialversicherungspflicht* (siehe Abschnitt *Sozialversicherung*): Diese ergibt sich aus dem Sozialgesetzbuch.
- die Unfallversicherung in § 1 SGB VII (siehe Kapitel *Unfallversicherung* in der Berufsgenossenschaft).
- Der Arbeitgeber ist ferner verpflichtet, vom Arbeitnehmer die *Lohnsteuerkarte* einzubehalten (§ 39b EStG). Wenn keine Lohnsteuerkarte vorliegt, muss er von der schlechtesten Steuerklasse VI ausgehen. Ebenso ist er verpflichtet, aufgrund der Eintragungen (Steuerklasse, Freibetrag, Konfession) entsprechende Beträge an Finanzamt und Krankenkasse abzuführen. Geschieht dies nicht, handelt es sich um eine Lohnsteuerverkürzung. Der BFH entschied in einem Urteil, dass Vereine bei Lohnsteuerverkürzungen ihre Gemeinnützigkeit verlieren: Ein Verein kann demnach nicht als gemeinnützig gelten, wenn er Tätigkeiten nachgeht, die gegen die Rechtsordnung verstoßen. Ein solcher Verstoß liegt auch dann vor, wenn der Verein seiner Verpflichtung zur Zahlung von Lohnsteuer nicht nachkommt.

Die einbehaltene Lohn- und Kirchensteuer ist – abhängig von ihrer Höhe – monatlich, vierteljährlich oder jährlich beim Finanzamt abzuführen. Der Arbeitgeber hat spätestens zum 10. des Folgemonats die Lohnsteuer an das Finanzamt abzuführen. (Ein elektronisches Formular für die Lohnsteuer-Anmeldung finden Sie unter: https://www.elster.de/elfo_down1.php).

Ein Verein hat für jeden Arbeitnehmer und jedes Kalenderjahr ein Lohnkonto zu führen. Die notwendigen Angaben ergeben ich aus der Lohnsteuerdurchführungsverordnung.

Folgende Angaben sind im *Lohnkonto* festzuhalten (§ 7 LStDV):

- die Eintragungen der LSt-Karte
- Versicherungs-Nummer
- Art der Tätigkeit (jede Tätigkeit ist im sog. Schlüsselverzeichnis des Arbeitsamts mit einer Nummer versehen)
- zuständige Krankenkasse und zuständiges Finanzamt
- Beginn und Ende der Beschäftigung, Unterbrechungen
- Gründe, die zur Versicherungssteuerfreiheit führen (z.B. Studium, Rente).
- Sachbezüge
- pauschalbesteuerte Bezüge

Folgende Eintragungen sind im Lohnkonto bei der *Lohnabrechnung* vorzunehmen:

- Tag der Lohnzahlung und Lohnzahlungszeitraum
- Bruttolohn, getrennt nach Barlohn und Sachbezügen (z.B. Fahrgeld)
- der hochgerechnete Bruttolohn im Falle der Nettolohnvereinbarung
- die einbehaltene Lohn- und Kirchensteuer sowie der Solidaritätsbeitrag
- Leistungen an Direktversicherung, Pensionskassen u.a.
- das beitragspflichtige Brutto-Arbeitsentgelt in der Rentenversicherung
- die Beiträge zur Sozialversicherung unter Angabe der jeweiligen Beitragsgruppen oder der entsprechenden Schlüsselzahl
- die vermögenswirksamen Leistungen und die zulagebegünstigten vermögenswirksamen Leistungen, getrennt nach Anlagegruppen und Zulagesätzen

- die ausgezahlte Sparzulage in einer Summe.
- Freibeträge

Die Versicherungspflicht in der Sozialversicherung

Die Krankenkassen sind für den Einzug der Gesamtsozialversicherungsbeiträge zuständig, d.h. für den Einzug von Kranken-, Renten-, Pflege- und Arbeitslosenversicherung und Umlagen. Die Rentenversicherungsträger sind für Betriebsprüfungen und die daraus eventuell folgenden Änderungen der Verwaltungsakte z.B. Bescheide der Krankenkassen zuständig (§§ 39ff. SGB X). Beispielsweise kann eine zu Unrecht angenommene Versicherungsfreiheit eines Beschäftigten aufgrund der Überprüfung zu umfangreichen Nachforderungen führen. Dabei kann sich die Nachforderung über einen Zeitraum von vier Jahren erstrecken – allein der Arbeitsgeber ist hier zahlungspflichtig! Bei vorsätzlich vorenthaltenen Beiträgen beträgt die Verjährungsfrist 30 Jahre.

Im Beitragsrecht gilt das so genannte *Entstehungsprinzip*, d.h. Beiträge in der Sozialversicherung werden bereits fällig, wenn ein Anspruch des Arbeitnehmers auf Arbeitsentgelt entstanden ist, unabhängig vom tatsächlichen Geldfluss.

zB.

Beispiel: Einem Arbeitnehmer wird aufgrund von finanziellen Schwierigkeiten des Vereins das ihm tariflich zustehende Urlaubsgeld nicht ausgezahlt, trotzdem müsste es bei der Abrechnung der Sozialversicherungsbeiträge berücksichtigt werden.

Grundsätzlich führt ein rückwirkender Verzicht von Entgeltansprüchen nicht zur Reduzierung von Sozialversicherungsbeiträgen.

Die Bestandteile der Sozialversicherung

- die Krankenversicherung in § 1 SGB V (Beitragshöhe kassenindividuell)
- KV-Zusatzbeitrag für Arbeitnehmer (0,9%)
- die Rentenversicherung der Arbeiter und Angestellten in § 9 SGB VI (19,5% 2006) voraussichtlich 19,9% 2007

- die Arbeitslosenversicherung in § 341 SGB (6,5%), ab 2007 voraussichtlich 4,5%
- die Pflegeversicherung (1,7%)
- Zusatzbeitrag der Pflegeversicherung für Kinderlose (0,25%) – für kinderlose Mitglieder (Arbeitnehmer) in der sozialen Pflegeversicherung ab Vollendung des 23. Lebensjahres wurde ab 1.1.2005 der Betragssatz um 0,25 Beitragssatzpunkte erhöht.

Beitragsbemessungsgrenzen 2006

	Renten- und Arbeitslosenversicherung (Werte Ost in Klammern)	Kranken- und Pflegeversicherung (Ost = West)
Jahr	63.000 (52.800)	42.750,00
Monat	5.250 (4.400)	3.562,50

Die Beitragsberechnung berücksichtigt das beitragspflichtige Arbeitsentgelt bis zur Höhe obiger Beitragsbemessungsgrenzen.

Einen unterbliebenen Beitragsabzug darf der Arbeitgeber i.d.R. nur bei den nächsten drei Gehaltszahlungen nachholen.

Die Einkommensgrenze für die Familienversicherung beträgt 400 € im Monat.

Sozialversicherungsausweis

Jeder Arbeitnehmer, der eine Beschäftigung aufnimmt, bekommt einen Sozialversicherungsausweis, außer es handelt sich um versicherungsfreie Personen, geringfügig beschäftigte Schüler unter 16 Jahren, im Haushalt geringfügig Beschäftigte oder mitarbeitende Familienangehörige bei Landwirten.

Bei Aufnahme einer Beschäftigung ist der Ausweis beim Arbeitgeber zum Nachweis der Versicherungsnummer vorzulegen. Geschieht das nicht innerhalb von drei Tagen nach Beschäftigungsaufnahme, ist bei der zuständigen Krankenkasse eine Kontrollmeldung einzureichen.

VEREINSRECHT STEUERN BUCHHALTUNG ARBEITSRECHT ZUWENDUNGSRECHT VERSICHERUNG ANHANG

Meldeverfahren zur Sozialversicherung

Ab dem 1. Januar 2006 dürfen Beitragsnachweise und Meldungen grundsätzlich nur noch maschinell abgegeben werden (elektronisches Beitrags- und Meldeverfahren). Für die maschinelle Datenübertragung steht das kostenlose Softwareprodukt „sv-net-Sozialversicherung" abrufbar bei den Krankenkassen zur Verfügung.

Nur systemgeprüfte Entgeltabrechnungsprogramme sind zur Datenübermittlung zugelassen. Die Systemprüfung wird durch die Informationstechnische Servicestelle der Gesetzlichen Krankenversicherung GmbH (ITSG) durchgeführt. Die ITSG vergibt allen Entgeltabrechnungsprogrammen nach erfolgreicher Prüfung ein Zertifikat und eine Identifikationsnummer. Eine Liste der systemgeprüften Programme können Sie unter www.datenaustausch.de abrufen.

Vorgezogene Fälligkeiten – Neuregelung § 23 Abs.1 SGB IV

Der Gesamtsozialversicherungsbeitrag wird spätestens am drittletzten Bankarbeitstag für den laufenden Monat fällig. Die bisherigen Fälligkeitstermine 15. des Folgemonats und die besondere Fälligkeit zum 25. eines Monats entfallen.

Ausnahme: die Kranken- und Pflegeversicherungsbeiträge der freiwilligen Mitglieder sind nach der gesetzliche Regelung spätestens am 15. des Folgemonats fällig.

Beitragsermittlung

Erfolgt die tatsächliche Entgeltabrechnung erst nach dem drittletzten Bankarbeitstag, ist eine voraussichtliche Höhe der Beiträge nach folgenden Grundsätzen zu ermitteln und zum Fälligkeitstermin zu zahlen:

- Die voraussichtliche Höhe ist so zu bemessen, dass nur ein geringer Restbetrag verbleibt.
- Der Arbeitgeber muss sich für eine Verfahrensweise entscheiden und Parameter für die Ermittlung nachweisbar dokumentieren.
- Die voraussichtliche Höhe der Beiträge ist als Beitragssoll in den Beitragsnachweis zu übernehmen und bis zum Fälligkeitstermin bei der Krankenkasse einzureichen.
- Differenzen zwischen voraussichtlicher Höhe der Beiträge und

tatsächlicher Abrechnung werden in den Beitragsnachweis für den Folgemonat übernommen und zum nächsten Fälligkeitstermin ausgeglichen.

Versicherungspflicht in der Arbeitslosenversicherung für neue Personengruppen

Bereits mit dem »Gesetz zur Reform der arbeitsmarktpolitischen Instrumente (Job-AQTIV-Gesetz)« vom 10.12.2001 (BGBl 2001 I S. 3443) wurde festgelegt, dass vom 1.1.2003 an

- Bezieher einer Rente wegen voller Erwerbsminderung,
- Frauen, die von einem Leistungsträger Mutterschaftsgeld beziehen und
- Personen während der Zeit der Kindererziehung bis zur Vollendung des dritten Lebensjahrs,

in der Arbeitslosenversicherung versicherungspflichtig sind, wenn sie unmittelbar vor Beginn der Leistung versicherungspflichtig in der Arbeitslosenversicherung waren oder eine laufende Entgeltersatzleistung nach dem SGB III (z.B. Arbeitslosengeld, Arbeitslosenhilfe) bezogen haben.

Die sich danach ergebenden Versicherungszeiten sollen Nachteile vermeiden, die sich durch eine Unterbrechung des Versicherungsschutzes in der Arbeitslosenversicherung für die Betroffenen sonst ergeben. Die Beiträge zur Arbeitslosenversicherung werden vom Rentenversicherungsträger für die Bezieher einer Rente wegen voller Erwerbsminderung, von den Krankenkassen während des Bezugs von Mutterschaftsgeld und vom Bund für Zeiten der Kindererziehung übernommen.

Änderungen in der Entgeltfortzahlungsversicherung ab 1.1.2006

Mit dem Aufwendungsausgleichsgesetz (AAG) wurde das Erstattungsverfahren der Arbeitgeberaufwendungen bei Arbeitsunfähigkeit (U1) und Mutterschaft (U2) neu geregelt. Das AAG ersetzt damit das bisher geltende Recht des Lohnfortzahlungsgesetzes (LFZG). Ab 2006 führen *alle* gesetzlichen Krankenkassen die Entgeltfortzahlungsversicherung durch. Zuständig ist immer die Krankenkasse des jeweiligen Arbeitnehmers. Ist der Beschäftigte nicht gesetzlich krankenversichert, ist die letzte Krankenkasse zuständig.

Umlage U1 – Entgeltfortzahlung im Krankheitsfall
Die U1 erstreckt sich nicht wie bisher nur auf Arbeiter, sondern nun auch auf Angestellte.

Für alle Arbeitgeber mit bis zu 30 Beschäftigten ist die Teilnahme verpflichtend. Arbeitgeber des öffentlichen Rechts (Bund, Länder, Gemeinden usw.) und Mitgliedseinrichtungen anerkannter Verbände der Wohlfahrtspflege (PWV, Caritas, Diakonie, AWO u.a.) sind wie bisher von der Teilnahme ausgenommen, können allerdings dazu optieren.

Beschäftigte, die regelmäßig arbeiten, werden mit folgenden Anrechnungsfaktor berücksichtigt:

Auszubildende und Schwerbehinderte = Faktor 0,0
nicht mehr als 10 Wochenstunden = Faktor 0,25
nicht mehr als 20 Wochenstunden = Faktor 0,5
nicht mehr als 30 Wochenstunden = Faktor 0,75

Bei der Berechnung der Umlage bleiben Einmalzahlungen künftig außer Ansatz.

Die Satzung der Kasse kann anstelle der vom Gesetz vorgesehenen Erstattung von 80 Prozent geringere Werte vorsehen, meist liegen diese zwischen 50% und 80%. Die Umlagesätze liegen abhängig von den Erstattungssätzen und Krankenkasse zwischen ca. 1 und 3%.

Trifft einen Dritten ein Verschulden an der Arbeitsunfähigkeit des Beschäftigten (z.B. bei einem Verkehrsunfall), geht der Schadenersatzanspruch des Arbeitnehmers in Höhe der geleisteten Entgeltfortzahlung auf den Arbeitgeber über.

Umlage U2 – Entgeltfortzahlung bei Mutterschaft
Die Teilnahme ist für alle Arbeitgeber, ohne Rücksicht auf die Betriebsgröße verpflichtend. Auch die Arbeitgeber des öffentlichen Rechts und der Wohlfahrtverbände sind in das Verfahren einbezogen (Unterschied zu U1!).

Grundlage für die Beitragsberechnung ist das monatliche Arbeitsentgelt aller Arbeitnehmer bis zur Höhe der Beitragsbemessungsgrenze der Rentenversicherung.

Die Erstattungssätze betragen 100% (Arbeitgeberzuschuss zum Mutterschaftsgeld – §14 MuSchG) oder 120% (im Falle eines Beschäftigungsverbots nach § 11 MuSchG). Die Umlagesätze differieren wie bei der U1 von Krankenkasse zu Krankenkasse.
Erstattet werden:

- vom Arbeitgeber gezahlte Zuschüsse zum Mutterschaftsgeld
- vom Arbeitgeber bei Beschäftigungsverboten gezahlte Arbeitsentgelte und Arbeitgeberbeiträge zur SV

Betriebsprüfung durch die BfA

Eine Betriebsprüfung erfolgt alle vier Jahre. Bei einer anstehenden Prüfung sind folgende Unterlagen vorzulegen:

- Lohnunterlagen,
- Beitragsabrechnungen,
- Beitragsnachweise,
- Unterlagen über Lohn- und Gehaltsabrechnung und
- relevante Prüfberichte der Finanzbehörden.

Die *Kindergeldauszahlung* erfolgt ausschließlich über die Familienkassen der Arbeitsämter, dies gilt allerdings nicht für Beschäftigte im öffentlichen Dienst.

Haftung bei zu wenig oder nicht gezahlter Lohnsteuer bzw. Sozialversicherungsbeiträgen:

- Bei der Lohnsteuer: Dieser Fall ist bereits auf S.27 beschrieben, im Abschnitt *Haftung für die Abführung der Lohnsteuer*.
- Bei der Sozialversicherung: Ist die Beschäftigung bereits beendet, ist ein nachträglicher Abzug vom Entgelt des Beschäftigten nicht mehr möglich, außer der Beschäftigte hat selbst die für die Durchführung der Anmeldung bei der Krankenkasse notwendigen Angaben vorsätzlich oder grob fahrlässig nicht mitgeteilt (vgl. §§ 28g Satz 4, 28a Abs.1 und 3, 28c Nr. 3 SGB IV).
- Bei noch andauernder Beschäftigung kann der Arbeitgeber lediglich bei den drei nächsten Lohn- bzw. Gehaltszahlungen für die letzte zurückliegende Abrechnungsperiode – meist ein Monat – Arbeitnehmeranteile einbehalten. Eine Belastung für

weiter zurückliegende Abrechnungszeiträume ist nur möglich, wenn die Beiträge ohne Verschulden des Arbeitgebers verspätet entrichtet worden sind (siehe auch obige §§ des SGB).

Exkurs: Künstlersozialabgabe

Nach dem Künstlersozialhilfegesetze sind selbstständige Künstler und Publizisten in die gesetzliche Renten-, Pflege- und Krankenversicherung einbezogen. Dieser Personenkreis finanziert seine Beiträge nur zur Hälfte selbst, die andere Hälfte – die Künstlersozialabgabe – teilen sich Bund und die Unternehmer/Vereine, die diese Leistungen verwerten oder vermarkten. Voraussetzung für die Pflicht einer Künstlersozialabgabe ist, dass der beauftragte Künstler/Publizist (z.B. Schauspieler, Autor, Musiker, Zeichner, Illustrator) selbstständig ist und nicht mehr als einen Arbeitnehmer beschäftigt. Eine Versicherungsfreiheit besteht, wenn der Beauftragte aus einer anderen nichtkünstlerischen Beschäftigung ein Einkommen erzielt, das die Hälfte der Beitragsbemessungsgrenze der Rentenversicherung von zurzeit 31.500 € (OST 26.400 €) übersteigt. Das Einkommen muss mindestens 3.900 €/Jahr betragen um versicherungspflichtig zu sein. In den ersten drei Jahren ihrer Berufstätigkeit (bisher fünf) sind selbstständige Künstler und Publizisten auch dann versicherungspflichtig, wenn sie weniger verdienen.

- Diese so genannte Berufsanfängerfrist verlängert sich um die Zeiträume, in denen die selbstständige Tätigkeit – z.B. wegen Mutterschafts- oder Erziehungsurlaub, Wehr- und Zivildienstes oder einer Beschäftigung – nicht ausgeübt wird.
- Innerhalb von sechs Jahren kann die Geringfügigkeitsgrenze zweimal unterschritten werden, ohne dass der Versicherungsschutz entfällt, wenn der Versicherte der Künstlersozialversicherung mindestens sechs Jahre angehört hat.

Studenten können nicht mehr in den günstigen Krankenversicherungsschutz nach dem Künstlersozialversicherungsgesetz ausweichen. Selbstständige Künstler und Publizisten, die nebenbei studieren, bleiben jedoch nach dem Künstlersozialversicherungsgesetz versichert.

Höhe

Das Bundesministerium für Gesundheit und Soziale Sicherung hat im Einvernehmen mit dem Bundesministerium der Finanzen den Vomhundertsatz der Künstlersozialabgabe für das Kalenderjahr 2006 von 5,8 % auf 5,5 % gesenkt (vgl. Künstlersozialabgabe-Verordnung 2006 vom 26. August 2005, BGBl. I S. 2609).

Die für Fragen und Anmeldung zuständige Stelle ist die:

Landesversicherungsanstalt Oldenburg/Bremen
Abt. Künstlersozialkasse (KSK)
Langeoogstr. 12
26384 Wilhelmshaven
Tel. 04421-3080, Fax . 04421-308354,
Internet: http:\\www.kuenstlersozialkasse.de.

Exkurs: Sachbezüge (Stand 2006-Sachbezugsverordnung)

Der materielle Wert für freie Verpflegung beträgt monatlich 202,70 € in allen Bundesländern (Frühstück 44,40 €€ Mittag-/Abendessen je 79,20 €) und für freie Unterkunft und Heizung 196,50 € (West) bzw. 182,00 € (Ost). Der Sachbezugswert für Unterkunft für volljährige Jugendliche beträgt 167,02 € (West), 137,55 € (Ost). Zuschüsse des Arbeitgebers für Fahrten zwischen der Wohnung und der Arbeitsstelle mit öffentlichen Verkehrsmitteln im Linienverkehr sind seit 2004 nicht mehr steuerfrei, sondern sind lohnsteuer- und sozialversicherungspflichtig. Es gibt jedoch die Möglichkeit der Lohnsteuerpauschalierung, was auch die Sozialversicherungsfreiheit zur Folge hat, es darf sich dabei aber nicht um eine Barlohnumwandlung handeln.

Ein andere Alternative ist die Nutzung der Freigrenze für Sachbezüge, die 44 €/Monat beträgt.

Für die Überlassung von PCs (§3 Nr.45 EStG) ist der geldwerte Vorteil aus der Privatnutzung steuerfrei, sofern der dem Arbeitnehmer überlassene Personalcomputer im Eigentum der Firma bleibt. Unschädlich ist es in diesem Fall, dass der Arbeitnehmer den arbeitgebereigenen PC zu Hause etwa in seinem häuslichen Arbeitszimmer nutzt. Wird der Personalcomputer allerdings dem

Arbeitnehmer übereignet, entsteht hieraus ein lohnsteuerpflichtiger geldwerter Vorteil. Um auch hierfür eine steuergünstige Möglichkeit zu schaffen, ist ebenfalls rückwirkend ab 01.01.2000 eine neue Pauschalierungsvorschrift eingeführt worden (Artikel 4a des Gesetzes zur Änderung des Versicherungsaufsichtsgesetzes, BGBl I 2000, S.1857, vom 21.12.2000). Der Arbeitgeber hat die Möglichkeit der sozialabgabenfreien Pauschalbesteuerung mit dem festen Steuersatz von 25 %, falls er seinem Arbeitnehmer zusätzlich zum ohnehin geschuldeten Arbeitslohn einen Personalcomputer unentgeltlich oder verbilligt übereignet.

Das Gleiche gilt für die Zuschüsse des Arbeitgebers zu den Aufwendungen für die häusliche Internetnutzung des Arbeitnehmers (§40 Abs.2 Nr.5 EStG).

Lohnpfändung – Auskunftspflichten

Der Gläubiger eines Arbeitnehmers kann dessen Arbeitgeber (z.B. Verein) zur Auskunft über die gepfändete Forderung auffordern (§ 840 ZPO). Das Auskunftsverlangen ist in die Zustellungsurkunde aufzunehmen und muss durch einen Gerichtsvollzieher persönlich zugestellt werden. Die Erklärungsfrist beginnt mit der Zustellung des Pfändungsbeschlusses und beträgt zwei Wochen. Sie kann vom Gläubiger verlängert werden. Auskunft ist zu erteilen darüber,

- ob und inwieweit der Arbeitgeber die Forderung als begründet anerkenne und zur Zahlung bereit sei; besteht ein Arbeitsverhältnis und hat hieraus der Arbeitnehmer einen Lohnanspruch, ist die Frage zu bejahen. Bei Bejahung der Frage empfiehlt sich ein Vorbehalt, nämlich dass damit keine Schuldanerkenntnis verbunden ist;
- ob und welche Ansprüche andere Personen an das gepfändete Einkommen erheben (z.B. infolge Lohnabtretung oder Verpfändung);
- ob und wegen welcher Ansprüche das Einkommen bereits für welche andere Personen gepfändet ist.

Die Auskunftskosten hat der Arbeitgeber zu tragen (BAG Urt. v. 31.10.1984 – 4 AZR 535/82). Einzelvertraglich kann eine andere Vereinbarung mit dem Arbeitnehmer getroffen werden. Der Arbeitgeber ist jedoch schadenersatzpflichtig, wenn er die Auskunft überhaupt nicht, verspätet, unvollständig oder unrichtig erteilt.

Rechte und Pflichten des Arbeitnehmers

Der Arbeitnehmer hat folgende Rechte und Pflichten:

- Abgabe von Lohnsteuerkarte und Sozialversicherungsnachweis
- Vorlage des Sozialversicherungsausweises bei geringfügiger Beschäftigung
- Mitbestimmung: Bei mindestens fünf ständig Beschäftigten gilt das Betriebsverfassungsgesetz (BVG) (jede Gewerkschaft gibt über Details Auskunft, das BVG ist auch auf der CD-ROM dokumentiert)
- *Gehorsamspflicht* bzw. betriebliche Rücksichtspflicht. Zweck ist die Gewährleistung der Ordnung und Sicherheit des Betriebs
- *Treuepflicht* ist ein Pendant zur Fürsorgepflicht des Arbeitgebers und heißt nichts anderes, als dass sich der Arbeitnehmer für die Interessen des Arbeitgebers und des Betriebes einzusetzen hat
- *Arbeits-/Dienstpflicht* beinhaltet die Verpflichtung des Arbeitnehmers zur Leistung der vereinbarten Dienste. Der Arbeitnehmer haftet dem Arbeitgeber bei Nichterfüllung im Falle eines Verschuldens (§§ 286, 276 BGB) oder bei Schlechterfüllung. Zu berücksichtigen ist jeweils ein eventuelles Mitverschulden des Arbeitgebers
- *Kündigungsschutz*: Besteht ein Arbeitsverhältnis mindestens sechs Monate, fallen Arbeitnehmer unter das Kündigungsschutzgesetz (KSchG). Eine fristgerechte Kündigung bedarf zu ihrer Wirksamkeit der Abwägung verschiedener – auch sozialer – Gesichtspunkte (Möglichkeit der Abfindung).

Bei längeren Beschäftigungszeiten verlängern sich die Fristen für die ordentliche Kündigung. Durch einen Einzelarbeitsvertrag kann eine kürzere Frist vereinbart werden, die jedoch einen Monat nicht unterschreiten darf (siehe auch §§ 621f. BGB).

Schwerbehinderte (Grad der Behinderung mind. 50%) und Gleichgestellte sind nur erschwert kündbar, ebenso Betriebsratsmitglieder (§ 15 KSchG) und werdende Mütter.

VEREINSRECHT STEUERN BUCHHALTUNG ARBEITSRECHT ZUWENDUNGSRECHT VERSICHERUNG ANHANG

Der allgemeine Kündigungsschutz ist in § 1 KSchG enthalten; falls er eintritt, kann der Arbeitgeber nur dann kündigen, wenn Gründe vorliegen, die in der Person, im Verhalten des Arbeitnehmers bzw. der Arbeitnehmerin oder in dringenden betrieblichen Erfordernissen liegen (siehe auch S. 133ff).

Dieser Kündigungsschutz gilt nur bei Betrieben mit mehr als fünf bzw. zehn ständig Beschäftigten, die mindestens jeweils zehn Stunden pro Woche oder 45 Stunden pro Monat arbeiten (§ 23 Abs.1 Satz 3 KSchG).

- Entgeltfortzahlung: In den ersten vier Wochen greift die Lohnfortzahlung im Krankheitsfall noch nicht. Ebenso entfällt die Entgeltfortzahlung für die ersten drei Tage einer Wehrübung
- Lohnfortzahlung bei *Mutterschaft*

Exkurs: Krankenkassenwechsel

Versicherungspflichtige haben die Möglichkeit, die Mitgliedschaft bei ihrer Krankenkasse unterjährig mit einer Frist von sechs Wochen zum Ende des Kalendermonats zu kündigen. An die Wahlentscheidung sind die Mitglieder sodann 18 Monate gebunden. Durch diese Flexibilisierung der Kassenwechselmöglichkeiten wird das Sonderkündigungsrecht bei Beitragssatzanhebungen entbehrlich.

Die 18 Monate-Bindung gilt nicht bei Wechsel zu einer privaten Krankenversicherung.

Freiwillige Mitglieder können ihre Krankenkasse nur wechseln, wenn sie mindestens 18 Monate Mitglied ihrer bisherigen Krankenkasse gewesen sind.

Die Bindefrist gilt ebenfalls nicht bei Wechsel innerhalb der gleichen Kassenart (z.B. AOK Bayern zur AOK Sachsen)

Die Beendigung des Arbeitsvertrages

Die Beendigung des Arbeitsvertrages kann durch
- Befristung
- Aufhebungsvertrag
- Kündigung

erfolgen. Seit 1.5.2000 sind diese Beendigungen schriftlich zu fassen (§ 623 BGB).

1. Befristung: Die Befristung von Arbeitsverträgen ist grundsätzlich zulässig, wird vom Gesetzgeber jedoch eingeschränkt.
Wenn eine Befristung länger als sechs Monate dauern soll, muss sie sachlich begründet sein. Sachliche Gründe sind z.B. eine ABM-Beschäftigung, Erprobung des Arbeitnehmers, Vertretung, Durchführung von zeitgebundenen Projekten (z.B. Forschungsauftrag, Saisonarbeiten), die allgemeine Unsicherheit über das Weiterlaufen von öffentlichen Fördermitteln reicht als sachlicher Grund nicht aus (BAG NZA 1992, 1125). Bei einer Befristung von weniger als sechs Monaten ist ein sachlicher Grund dann notwendig, wenn ein Bestandsschutz damit umgangen werden soll (z.B. Regelungen des Schwerbehindertengesetzes oder des Mutterschutzgesetzes).

Sie hat zur Folge, dass das Arbeitsverhältnis mit Ablauf der Befristung automatisch endet; es gelten dabei keine Vorschriften zur Kündigung oder zum Kündigungsschutz, d.h. auch keine entsprechenden Schutzvorschiften für Schwerbehinderte oder werdende Mütter. Es ist in jedem Fall unzulässig eine Schwerbehinderung oder Schwangerschaft zum Anlass für eine Befristung zu nehmen.

Die sog. erleichterte Befristung eines Arbeitsvertrages ohne sachlichen Befristungsgrund (§14 Abs.2 TzBfG) ist künftig nur noch bei einer echten Neueinstellung zulässig. Sie ist ausgeschlossen, wenn mit demselben Arbeitgeber irgendwann einmal ein unbefristeter Arbeitsvertrag bestanden hat, unabhängig davon, ob ein sachlicher Zusammenhang mit der neuerlichen Beschäftigung besteht oder nicht. Die bisherige 4-Monats-Frist entfällt. Mit dem Ausschluss dieser Möglichkeit will der Gesetzgeber erreichen, dass die gesetzlichen Befristungserleichterungen künftig nicht mehr zu Befristungsketten missbraucht werden.

Befristete Arbeitsverträge ohne sachlichen Befristungsgrund und ohne zeitliche Höchstgrenze können mit Arbeitnehmern ab 52 Jahren (vorher 58 J.) geschlossen werden. Diese Erleichterung gilt bis zum 31.12.2006. Eine Befristung ist weiterhin nicht zulässig, wenn zu einem vorhergehenden unbefristeten Arbeitsverhältnis bei demselben Arbeitgeber ein sachlicher Zusammenhang besteht.

Auch künftig bleiben Befristungen unbegrenzt zulässig, soweit sie durch einen sachlichen Grund gerechtfertigt sind. Wollen ArbeitnehmerInnen geltend machen, dass die Befristung eines Arbeitsvertrages rechtsunwirksam ist, so muss er/sie innerhalb von drei Wochen nach dem vereinbarten Ende des befristeten Arbeitsvertrages Klage beim Arbeitsgericht auf Feststellung erheben, dass das Arbeitsverhältnis auf Grund der Befristung nicht beendet ist.

2. Aufhebungsvertrag. Dieser Vertrag beinhaltet eine Auflösung des Arbeitsverhältnisses aufgrund gegenseitiger Vereinbarung und unterliegt deshalb keinerlei Fristen. Die typische Formel hierfür lautet „im beiderseitigen Einvernehmen". Für den Arbeitnehmer kann dies eine Sperrfrist von zurzeit zwölf Wochen beim Bezug von Arbeitslosengeld zur Folge haben.

3. *Kündigung*: Die Kündigung wird unterschieden in ordentliche und außerordentliche Kündigung, wobei erstere an bestimmte Fristen gebunden ist.

Die ordentliche Kündigung eines Arbeitsverhältnisses kann grundsätzlich ohne Angabe von Gründen erfolgen; es ist lediglich eine entsprechende Deutlichkeit erforderlich, so dass der/die Gekündigte Klarheit über die Auflösung des Arbeitsverhältnisses erhält. Trotzdem sollte eine Kündigung immer begründet werden, da dies bei Streitfällen von Vorteil sein kann. Bei jeder Art von Kündigung muss der Betriebsrat – sofern vorhanden – vorher gehört werden.

Das oben Gesagte wird wiederum durch das Kündigungsschutzgesetz eingeschränkt: Danach ist eine Kündigung gegenüber einem Arbeitnehmer rechtsunwirksam, wenn sie sozial ungerechtfertigt ist (§ 1 Abs.1 KSchG). Damit die Kündigung sozial gerechtfertigt ist, muss einer der folgenden Kündigungsgründe vorliegen:

– personenbedingt (z.B. Arbeitsunfähigkeit wegen Krankheit; folgende Aspekte spielen hierbei eine Rolle: negative Gesundheitsprognose, erhebliche Beeinträchtigung betrieblicher Interessen und die Abwägung der beiderseitigen Interessen);

- verhaltensbedingt (z.B. wegen Fehlverhaltens); in der Regel ist der Ablauf: 1. Ermahnung, 2. Abmahnung (sie sollte schriftlich formuliert sein, den genauen Grund benennen und die Kündigungsandrohung beinhalten; Beispiel siehe CD-ROM), 3. ordentliche Kündigung;
- betriebsbedingt (z.B. Verluste, Zuschussminderung, Arbeitsmangel, Betriebsstillegung, betriebliche Umstellung).

Wenn ein *wichtiger Grund* (z.B. Arbeitsverweigerung, wiederholte Verletzung der Arbeitsschutzbestimmungen, eigenmächtiger Urlaubsantritt) vorliegt und die Fortsetzung des Arbeitsverhältnisses als unzumutbar anzusehen ist, kann das Arbeitsverhältnis nach § 626 Abs.1 BGB von beiden Seiten ohne Einhaltung einer Frist gekündigt werden (*außerordentliche* Kündigung). Nach einem Urteil des LAG Kiel kann auch die Androhung von Krankheit einen Grund für eine außerordentliche Kündigung darstellen (AZ: 5 Sa 279/04).

Grundsätzlich gilt dabei das Prinzip der *ultima ratio*, d.h. es darf dem Arbeitgeber kein milderes Mittel zur Wahrung seiner Interessen zur Verfügung stehen (vgl. Stufen bei der verhaltensbedingten Kündigung). Die außerordentliche Kündigung kann nur innerhalb von zwei Wochen nach Auftreten des Kündigungsgrundes ausgesprochen werden.

Bei der ordentlichen Kündigung hat der Betriebsrat ein Widerspruchsrecht (§ 102 Abs.3 BetrVG). Außerdem kann der Arbeitnehmer Kündigungsschutzklage erheben und auf Weiterbeschäftigung klagen (§ 1 Abs.2 Satz 2 KSchG); dies gilt auch bei außerordentlicher Kündigung.

Ferner existiert noch die Form der *Änderungskündigung* (§ 2 KSchG); dies ist eine Kündigung des Arbeitsverhältnisses, bei dem der Arbeitgeber dem/der ArbeitnehmerIn die Fortsetzung des Arbeitsverhältnisses zu geänderten Bedingungen anbietet. Wenn zum Beispiel aufgrund von Zuschusskürzungen eine volle Stelle in eine 2/3-Stelle umgewandelt werden soll, müsste dem/der StelleninhaberIn eine Änderungskündigung mit den geänderten Bedingungen erklärt werden.

Sie ist eine echte Kündigung, so dass auch hier Kündigungsfristen und Schriftform einzuhalten sind.

Bei Bestehen eines Betriebsrates ist dieser sowohl bei der ordentlichen als auch bei der außerordentlichen Kündigung zwingend anzuhören (§ 1 Abs.2 KSchG, § 102 BetrVG); falls dies versäumt wird, ist eine Kündigung unwirksam.

Seit dem 1. Januar 1999 gilt das Kündigungsschutzgesetz wieder in Unternehmen (auch Vereinen) mit mehr als fünf Arbeitnehmern. Aber auch in Unternehmen, die eine geringere Mitarbeiterzahl beschäftigen, sind soziale Auswahlkriterien für eine Kündigung relevant. Dies hat das Bundesverfassungsgericht in einem Beschluss vom 27.01.1998 festgelegt. Das heißt, dass bei einer Kündigung bei der zwischen mehreren Mitarbeitern ausgewählt werden muss, auch soziale Maßstäbe (z.B. Dienstalter, Unterhaltsverpflichtungen) herangezogen werden müssen.

Im Rahmen des Gesetzes zu Reformen am Arbeitsmarkt, einem Kernstück der Agenda 2010 wurde zum 01. Januar 2004 das **Kündigungsschutzgesetz geändert**. Danach soll ein Betrieb mit fünf Vollzeitkräften bis zu fünf weitere Vollzeitkräfte oder bis zu zehn Halbtagskräfte befristet beschäftigen, ohne in den Anwendungsbereich des Kündigungsschutzgesetzes zu kommen. Mit der Regelung wollte die damalige Bundesregierung den kleinen Unternehmen erleichtern, bei Auftragsspitzen zusätzlich Arbeitnehmer einzustellen. Die Regelung soll zunächst bis Ende 2008 gelten. Bis dahin soll festgestellt werden, wie sie sich auf das Einstellungsverhalten kleiner Unternehmen auswirkt. Diese Regelung gilt nur für Neueinstellungen.

Bei Kündigungen wird die Sozialauswahl auf vier Grunddaten beschränkt: Alter, Betriebszugehörigkeit, Unterhaltspflichten und eine etwaige Schwerbehinderteneigenschaft. Außerdem gibt es künftig einen gesetzlichen **Abfindungsanspruch** des Arbeitnehmers bei einer betriebsbedingten Kündigung, sofern der Arbeitnehmer auf eine Kündigungsschutzklage verzichtet. Der Anspruch setzt einen Hinweis des Arbeitgebers in der Kündigungserklärung voraus. Für alle Klagen gegen eine Kündigung beträgt die Frist einheitlich drei Wochen.

Für 2006 geplante arbeitsrechtliche Regelungen zur Umsetzung des Koalitionsvertrages

Wie im Koalitionsvertrag vorgesehen, wird der Kündigungsschutz weiter entwickelt. Die Arbeitgeber sollen die Möglichkeit erhalten, mit dem Arbeitnehmer oder der Arbeitnehmerin zu Beginn eines Arbeitsverhältnisses anstelle der gesetzlichen Wartezeit von sechs Monaten eine Wartezeit bis zur Dauer von zwei Jahren zu vereinbaren. Während der Wartezeit kann der Arbeitgeber das Arbeitsverhältnis kündigen, ohne an die sonst erforderlichen Kündigungsgründe gebunden zu sein. Das erlaubt eine flexiblere Einstellungspraxis und eröffnet Arbeitsuchenden, insbesondere Geringqualifizierten, bessere Beschäftigungschancen. Im Gegenzug wird die Möglichkeit entfallen, Arbeitsverträge in den ersten zwei Jahren ohne sachlichen Grund zu befristen.

Weiterhin werden entsprechend dem Koalitionsvertrag die erleichterte Befristungsmöglichkeit für Arbeitnehmer ab dem 52. Lebensjahr als Dauerregelung ausgestaltet und europarechtsfest gemacht werden. Der Europäische Gerichtshof hat hier Vorgaben gesetzt. Diese Vorgaben müssen eingehalten werden. Nur wenn die Regelung rechtssicher ist, wird sie auch die gewünschte Anreizwirkung zur Einstellung älterer Arbeitsloser haben. Siehe http://www.bmas.bund.de/BMAS/Redaktion/Pdf/vorhaben-arbeit-und-soziales

Kündigungsfristen

Seit 15. Oktober 1993 ist das *Gesetz zur Vereinheitlichung der Kündigungsfristen* von Arbeitern und Angestellten in Kraft und hob die bis dahin unterschiedliche Behandlung von ArbeiterInnen und Angestellten bei den gesetzlichen Kündigungsfristen auf.

Nach den neuen Regelungen kann ein Arbeitsverhältnis mit einer Dauer von bis zu zwei Jahren grundsätzlich mit einer Frist von vier Wochen zum 15. oder zum Ende eines Kalendermonats gekündigt werden, bei einer Beschäftigungsdauer von 2 bis 5 Jahren beträgt die Frist einen Monat zum Monatsende, bei 5 bis 8 Jahren beträgt die Frist zwei Monate zum Monatsende. Die Grundkündigungsfrist verlängert sich auf bis zu sieben Monate zum Ende eines Kalendermonats, wenn das Arbeitsverhältnis zu diesem Zeitpunkt 20 Jahre besteht.

Nicht berücksichtigt werden die Beschäftigungszeiten, die vor der Vollendung des fünfundzwanzigsten Lebensjahres der ArbeitnehmerIn liegen.

Einzelvertraglich kann eine kürzere als die Grundkündigungsfrist vereinbart werden, wenn ein/e ArbeitnehmerIn zur vorübergehenden Aushilfe (bis längstens drei Monate) eingestellt worden ist oder wenn der Betrieb in der Regel nicht mehr als zwanzig ArbeitnehmerInnen (ausgenommen Auszubildende) beschäftigt. Die Kündigungsfrist darf jedoch vier Wochen nicht unterschreiten, wobei die vorgeschriebene Festsetzung eines Enddatums hier entfällt.

Während einer Probezeit von bis zu sechs Monaten darf die Kündigungsfrist zwei Wochen betragen.

Tariflich abweichende Regelungen sind nach wie vor möglich. Allerdings sind Vereinbarungen, die für eine Kündigung des Arbeitsverhältnisses durch die ArbeitnehmerInnen eine längere Kündigungsfrist als für die Arbeitgeberseite vorsehen, unzulässig.

In jedem Fall hat der/die ArbeitnehmerIn bei einer Beendigung eines Arbeitsverhältnisses Anspruch auf ein *schriftliches Arbeitszeugnis* (§ 630 BGB). Er/sie hat dabei ein Wahlrecht, ob es ein einfaches (Inhalt: Arbeitgeber, Art und Dauer der Beschäftigung) oder ein qualifiziertes (zusätzlich: Beurteilung der Führung und Leistungen des Beschäftigten) Zeugnis sein soll.

Musterschreiben für die Abmahnung und die verschiedenen Arten der Kündigung (ordentliche, außerordentliche sowie Änderungskündigung) finden Sie auf der CD-ROM.

Altersteilzeit

Durch Hartz III gab es Änderungen im Altersteilzeitgesetz, dabei gilt das Regelarbeitsentgelt als neue Berechnungsgrundlage für den Aufstockungsbetrag und die zusätzlichen Rentenversicherungsbeiträge eingeführt. Außerdem gab es Änderungen in der Insolvenzsicherung. Die Neuerungen gelten nur für Arbeitnehmer, die ab 1. Juli 2004 mit der Altersteilzeitarbeit beginnen. Für Altvereinbarungen (vor dem 1. Juli 2004) gelten die bisherigen Regelungen weiter. Welches Recht anzuwenden ist, richtet sich nach dem tatsächlichen Beginn der Altersteilzeit.

Hinsichtlich des Erstattungsverfahrens in von der Bundesagentur für Arbeit geförderten Beschäftigungsverhältnissen steht dem Arbeitgeber allerdings ein Wahlrecht zu. Das bisherige Recht mit monatlich wechselnden Beträgen für die vor dem Stichtag begonnenen Fälle kann weiter angewandt werden. Alternativ kann der Arbeitgeber auch für Altersteilzeitarbeitsverhältnisse mit Beginn vor dem 1. Juli 2004 das neue Erstattungsverfahren beantragen. Das neue Erstattungsverfahren sieht vor, dass die Leistungshöhe für die gesamte Förderdauer zum Zeitpunkt der Wiederbesetzung des Arbeitsplatzes festgelegt wird.

Bisher war das Bruttoarbeitsentgelt für die Altersteilzeitarbeit um 20 %, aber auf mindestens 70 % des bisherigen Nettoentgelts aufzustocken. Bei ab dem 1. Juli 2004 beginnenden Altersteilzeitarbeitsverhältnissen entfällt die Aufstockung auf diese mindestens 70%. Eine Mindestaufstockung gibt es also nicht mehr – künftig bleibt es bei der 20 %igen Aufstockung des Bruttoentgelts. Ausgangsbasis für die Berechnung des Aufstockungsbetrags ist das neu eingeführte Regelarbeitsentgelt.

Als Regelarbeitsentgelt wird das auf einen Monat entfallende regelmäßige beitragspflichtige Arbeitsentgelt bezeichnet. Es handelt sich somit um die Hälfte des ohne die Altersteilzeitarbeit erzielten laufenden Arbeitsentgelts. Übersteigt das Regelarbeitsentgelt die monatliche Beitragsbemessungsgrenze der Arbeitslosenversicherung, bleibt dieser übersteigende Betrag unberücksichtigt.

Für die Ermittlung des Regelarbeitsentgelts sind alle laufenden Arbeitsentgelte einzubeziehen. Dazu gehören neben dem laufenden Lohn bzw. Gehalt beispielsweise auch: Vermögenswirksame Leistungen, Sachbezüge, Zuschläge für Sonntags-, Feiertags und Nachtarbeit, sonstige geldwerte Vorteile, Schmutz- und Erschwerniszuschläge.

Nicht regelmäßige Arbeitsentgelte (z.B. Mehrarbeitsvergütungen oder Einmalzahlungen) werden beim Regelarbeitsentgelt nicht berücksichtigt.

Für Beschäftigte in Altersteilzeitarbeit wurde eine umfassende Insolvenzsicherung eingeführt.
Der Arbeitgeber hat dem Arbeitnehmer seit dem 1. Juli 2004 die zur Sicherung des Wertguthabens ergriffenen Maßnahmen bereits mit der ersten Gutschrift schriftlich mitzuteilen. Damit diese Informationen aktuell bleiben, hat der Arbeitgeber danach alle sechs Monate erneut schriftlich zu informieren. Außerdem sind einzelne Eskalationsstufen für den Fall vorgesehen, dass ein Arbeitgeber seiner Informationspflicht nicht bzw. nicht ausreichend nachkommt. Neben dieser Verpflichtung zur Information des Beschäftigten hat der Arbeitgeber eine entsprechende Sicherung der Wertguthaben vorzunehmen. Dabei wird auf das Dreifache des monatlichen Regelarbeitsentgelts abgestellt und somit ein individueller Schwellenwert eingeführt. Sowohl der Umfang der zu sichernden Beträge als auch die Wahl des Sicherungsweges wird definiert. Der Arbeitgeber hat das Bruttoarbeitsentgelt und seinen Arbeitgeberanteil abzusichern; dabei dürfen geleistete Aufstockungsbeträge nicht abgezogen werden. Bilanzrückstellungen oder so genannte Patronatserklärungen, die sich als nicht ausreichend erwiesen haben, werden als Sicherungswege ausgeschlossen.

Die Form des Arbeitsvertrages nach EG-Recht

Ein Arbeitsvertrag soll nach EG-Recht folgendes beinhalten:
- Daten der Vertragspartner (Name, Anschrift, Rechtsform bzw. Geburtsdatum)
- Vertragsdauer (bei Befristung) und Zeitpunkt des Vertragsbeginns
- Kündigungsfristen
- Bezeichnung oder allgemeine Beschreibung der Tätigkeit
- Höhe und Zusammensetzung der Bezahlung (tarifliche Eingruppierung) und deren Fälligkeit
- Nebenleistungen (z.B. Fahrtkostenerstattung, 13. Monatsgehalt)
- Arbeitsort
- Arbeitszeit (z.B. gleitend, Stundenzahl),

- Urlaubsanspruch
- geltender Tarifvertrag
- Ort und Datum des Vertragsabschlusses
- Unterschriften.

Ein Muster eines Arbeitsvertrags befindet sich auf der CD-ROM.

Änderungen der oben genannten Vertragsbedingungen müssen innerhalb eines Monats schriftlich mitgeteilt werden. Für bereits bestehende Verträge wirkt sich diese Neuregelung (d.h. die Pflicht der Schriftform des Arbeitsvertrages) nicht aus, es sei denn, der Beschäftigte verlangt eine Niederschrift; diese muss ihm innerhalb zweier Monate zugehen.

Eine genaue Stellenbeschreibung (inkl. der Kompetenzen) ist allein schon wegen der Stellenausschreibung ratsam. Insbesondere für öffentliche geförderte Projekte ist das Besserstellungsverbot zu beachten, d.h. Beschäftigte eines öffentlich bezuschussten Vereins dürfen nicht bessergestellt werden (z.B. in der Bezahlung) als vergleichbare Beschäftigte des öffentlichen Dienstes.

Der freie Dienstvertrag

Neben dem Arbeitsvertrag gibt es noch eine weitere Unterform des Dienstvertrags. Dieser freie Dienstvertrag enthält die Verpflichtung zu einer Tätigkeit oder einer einmaligen bestimmten Dienstleistung, ohne dass eine Weisungsbefugnis vorliegt, d.h. es fehlt damit die persönliche Abhängigkeit des Einzelnen (weitere Abgrenzungskriterien zum Arbeitsvertrag siehe Kasten auf der S.142). Beispiele des freien Dienstvertrags sind Verträge zwischen Rechtsanwälten und Mandanten, Fahrlehrern und Fahrschülern.

Der Werkvertrag

Im Gegensatz zum freien Dienstvertrag hat der Werkvertrag (§§ 631ff. BGB) einen bestimmten Arbeitserfolg zum Ziel: Der Werkunternehmer schuldet einen konkreten Arbeitserfolg (Herstellung oder Veränderung einer Sache, Arbeit, Dienstleistung – z.B.

Exposé) und nicht nur pflichtgemäßes Bemühen. So sind etwa Subunternehmerverträge im Baubereich typische Werkverträge. Übt der Werkunternehmer keinen sog. freien Beruf (siehe § 18 Abs.1 EStG) aus, kann der Auftraggeber verlangen, dass er sich einen entsprechenden Gewerbeschein besorgt.

Abgrenzung zwischen den Vertragsformen

Einige Kriterien zur Abgrenzung zwischen einerseits freier Mitarbeit bzw. Honorartätigkeit (Werkvertrag und freier Dienstvertrag) und andererseits Arbeitsvertrag:

Vorweg: Einen gesetzlich geregelten Vertragstyp „freie Mitarbeit" gibt es nicht; auf freie MitarbeiterInnen ist das Arbeitsrecht grundsätzlich nicht anzuwenden.

Ein sog. Honorarvertrag kann als freier Dienstvertrag formuliert werden oder als Werkvertrag (z.B. bei Architekten ist beides möglich). Die alleinige Bezeichnung Honorar- oder Werkvertrag

Kriterien der Honorartätigkeit bzw. freien Mitarbeit

- keine Weisungsgebundenheit (fehlende hierarchische Unterordnung)
- keine persönliche Abhängigkeit
- freie Bestimmung der Arbeitszeit
- freie Gestaltung der Ausführung der Arbeit (lediglich Zielvorgabe)
- Unternehmerrisiko (Bezahlung nur bei Erfolg)
- eigene Arbeitsmittel/-stätte
- kein Anspruch auf soziale Leistungen / Urlaub
- keine festen Bezüge, keine Überstundenvergütung, keine Vergütung im Krankheitsfall
- keine ständige Dienstbereitschaft
- Zulässigkeit von Nebentätigkeiten (allerdings ist ein Wettbewerbsverbot möglich)

innerhalb eines Vertrages genügt nicht, um ein solches Vertragsverhältnis zu begründen, vielmehr müssen mehrere Kriterien, die sich aus dem Auftrag bzw. dem Vertragstext ergeben, hierfür erfüllt werden (siehe Kasten).

Erfüllt ein Erwerbstätiger Merkmale sowohl der Unselbstständigkeit als auch der Selbstständigkeit, so kommt es darauf an, welche Charakteristika überwiegen.

Weitere Kriterien des BSG:

- kein Vorgesetzter, der das Arbeitsverfahren regelt
- Entscheidungsfreiheit des Auftragnehmers über Zahlungsweise des Auftraggebers
- Dokumentationspflicht des Auftragnehmers
- Einsatz eigenen Betriebskapitals des Auftragnehmers
- Haftung des Auftragnehmers bei Schäden oder mangelhafter Dienstleistung
- Nutzung eigener Firmenbriefbögen des Auftragnehmers
- Gewerbeanmeldung
- entsprechende Bewertung durch das Finanzamt

Mustertexte für Honorarvertrag und Werkvertrag finden Sie auf der CD-ROM.

Ergänzend sei in diesem Zusammenhang auf die Auflistung der selbstständigen Tätigkeiten im § 18 Abs.1 des EStG (z.B. Notare, Steuerberater, Ärzte, Unternehmensberater, Journalisten, Heilpraktiker u.a.) verwiesen.

Ein/e freie/r MitarbeiterIn ist meist dann als echte/r ArbeitnehmerIn einzustufen, wenn andere Beschäftigte mit gleichem Tätigkeitsbereich als Arbeitnehmer eingestellt wurden (z.B. Putzhilfe).

Wenn sich ein Verein unsicher ist, ob es sich im vorliegenden Fall um eine freie Mitarbeit oder um eine abhängige Beschäftigung handelt, sollte er an die Deutsche Rentenversicherung eine entsprechende Anfrage richten.

Die finanziellen Folgen bei einer fälschlicherweise als Honorarkraft beschäftigten Person können erheblich sein, da die Nachforderungen der Sozialversicherung immerhin etwa ein Drittel des ausgezahlten Honorars betragen.

Scheinselbstständigkeit

Scheinselbstständige sind Personen, die wie Selbstständige auftreten, faktisch jedoch abhängig Beschäftigte, d.h. Arbeitnehmer sind.

In Zweifelsfällen sollte der Auftrageber (Verein) ein Statusfeststellungsverfahren durchführen, zuständig hierfür ist die Deutsche Rentenversicherung Bund in Berlin (siehe www.drv-bund.de). Auf der CD-ROM befindet sich das Formular zur Statusfeststellung.

Mit dem Zeitpunkt der Bekanntgabe der Entscheidung der BfA tritt die Versicherungspflicht ein, wenn

a) der Antrag innerhalb eines Monats nach Beschäftigungsbeginn gestellt worden ist und
b) der Beschäftigte dem späteren Beginn der Sozialversicherungspflicht zustimmt und
c) der Beschäftigte für den Zeitraum zwischen Beschäftigungsbeginn und Bekanntgabe der BfA-Entscheidung eine Absicherung für einen Krankheitsfall und zur Altersvorsorge vorgenommen hat, die den gesetzlichen Leistungen entspricht.

In allen anderen Fällen beginnt die Versicherungspflicht mit dem Beginn des Beschäftigungsverhältnisses.

Arbeitnehmerähnliche Selbstständige

Darunter fallen diejenigen Personen, die keine versicherungspflichtigen Arbeitnehmer beschäftigen und nur einen Auftraggeber haben. Diese Selbstständigen sind in der Rentenversicherung beitragspflichtig einbezogen worden. Von der Rentenversicherungspflicht können sich diejenigen befreien lassen, die am 1.1.1999 50 Jahre alt waren oder eine vor dem 10.12.1998 abgeschlossene Lebensversicherung oder betriebliche Versorgungszusage hatten.

Exkurs: Rentenversicherung von Tagesmüttern

Selbstständige Tagespflegepersonen (Tagesmütter und Tagesväter) unterliegen kraft Gesetzes der Rentenversicherungspflicht, wenn sie im Zusammenhang mit ihrer Tätigkeit keinen versicherungspflichtigen Arbeitnehmer beschäftigen. Die selbstständige Tätigkeit muss ferner in mehr als geringfügigem Umfang ausgeübt werden.

Von einer *selbstständigen Tätigkeit* als Tagespflegeperson ist in der Regel auszugehen, wenn berufsmäßig, bei weisungsfreier Gestaltung die Kinder fremder Eltern betreut und hierbei „Einkünfte aus selbstständiger Arbeit" im Sinne des Einkommensteuerrechts erzielt werden. Dies ist insbesondere dann der Fall, wenn für die Betreuung ganz oder teilweise Vergütungen auf privatrechtlicher Grundlage (von den Eltern) gezahlt oder wenn zwar steuerfrei gestellte Leistungen aus öffentlichen Kassen bezogen, aber mehr als fünf Kinder betreut werden. Eine Entscheidung über steuerpflichtige bzw. steuerfreie Einnahmen trifft das zuständige Finanzamt.

Sofern im Zusammenhang mit der selbstständigen Tätigkeit als Tagespflegeperson ein versicherungspflichtiger Arbeitnehmer beschäftigt wird, besteht für die Tagespflegeperson selbst keine Versicherungspflicht. Von „einem versicherungspflichtigen Arbeitnehmer" wird gesprochen, wenn dieser mit einem Arbeitsentgelt von mehr als 400 € im Monat beschäftigt wird.

Der Auftrag

Der Vollständigkeit halber sei noch die unentgeltliche Geschäftsbesorgung bzw. Auftrag erwähnt: „Durch die Annahme eines Auftrags verpflichtet sich eine beauftragte Person, ein ihr vom Auftraggeber übertragenes Geschäft für diesen unentgeltlich zu besorgen." (§§ 662ff. BGB)

Beispielsweise können ehrenamtliche Tätigkeiten für einen Verein unter diese Kategorie fallen.

In diesem Rahmen können Aufwandsentschädigungen in Höhe der tatsächlich entstandenen und nachgewiesenen Kosten gezahlt werden. Sie zählen nicht als Entgelte und ziehen deshalb steuerlich und sozialversicherungsrechtlich keine Konsequenzen nach sich.

Die geringfügige Beschäftigung

Es können seit 1.4.2003 drei Formen geringfügiger Beschäftigung unterschieden werden:

a) der geringfügige **Minijob**: Nebenbeschäftigungen mit einem Entgelt bis zu 400 € im Monat für den Arbeitnehmer sind sozialversicherungsfrei, es gibt keine Stundenbegrenzung. Es ist eine Beitragsaufstockung in der Rentenversicherung möglich, AN muss informiert werden
b) der Minijob in Privathaushalten (wird nachfolgend nicht behandelt)
c) **kurzfristige Beschäftigungen** oder Saisonbeschäftigungen von längstens zwei Monaten oder höchstens 50 Arbeitstagen im Kalenderjahr

Für die Meldung dieser Arbeitsverhältnisse ist die Knappschaft-Bahn-See zuständig. Im Rahmen der Organisationsreform der gesetzlichen Rentenversicherung haben sich die bisher eigenständigen Rentenversicherungsträger Bundesknappschaft, Bahnversicherungsanstalt und Seekasse zur „Deutschen Rentenversicherung Knappschaft-Bahn-See" zusammengeschlossen. Die Minijob-Zentrale, zuvor ein Teil der Bundesknappschaft, gehört jetzt zur neu geschaffenen Knappschaft-Bahn-See. Internet: www.minijob-zentrale.de

Es stehen geringfügig Beschäftigten die gleichen tariflichen Leistungen zu, wie den übrigen Beschäftigten. Das heißt, es steht auch geringfügig Beschäftigten Urlaub zu, und zwar der Tarifurlaub oder der betriebsübliche Urlaub, soweit nicht einzelvertraglich eine andere Regelung getroffen wird. Der gesetzliche Mindesturlaub beträgt seit dem 1.1.1995 24 Werktage pro Kalenderjahr. Als Werktage gelten auch die arbeitsfreien Samstage.

Nicht in den Genuss dieser Regelung kommen Arbeitnehmer, die einen befristeten Arbeitsvertrag mit nicht mehr als vier Wochen Dauer abgeschlossen haben.

Außerdem haben geringfügig Beschäftigte Anspruch auf Entgeltfortzahlung im Krankheitsfall.

Bei nachgewiesener Konfessionslosigkeit fällt die pauschalierte Kirchensteuer weg. Grundsätzlich beträgt der Regelsatz der Kirchensteuer in Bayern acht Prozent, er wird jedoch für geringfügig Beschäftigte auf sieben Prozent reduziert. Bedingung hierfür ist allerdings, dass alle geringfügig Beschäftigten kirchensteuerpflichtig sind. Tritt jemand aus diesem Personenkreis aus einer der Kirchen aus, so entfällt die Reduzierung für alle.

Wenn eine geringfügig beschäftigte Person während der Beschäftigung die Zeit- oder Entgeltgrenze überschreitet, setzt die Versicherungspflicht ab dem Zeitpunkt der Überschreitung ein, außer es lag ein unvorhersehbarer Grund vor, z.B. Krankheitsvertretung, in diesem Fall können für maximal zwei Monate die Grenzen überschritten werden.

Minijob

Die Entgeltgrenze beträgt 400 €/Monat, es gibt keine Zeitgrenze, was die wöchentlichen Arbeitsstunden abgeht

Für geringfügig Beschäftigte hat der Arbeitgeber Pauschalabgaben zu entrichten. Diese betragen 25 % bei gewerblichen Arbeitnehmer (Aufteilung: 12 % Rentenversicherung, 11 % Krankenversicherung und 2 % Pauschalsteuer). Es ist geplant ab 1.7.06 den pauschalen Prozentsatz auf 30% anzuheben. Es besteht eine Aufstockungsoption zur Rentenversicherung für Arbeitnehmer. Der Arbeitgeber hat den Arbeitnehmer auf diese Option hinzuweisen, am besten mit einem Passus im Arbeitsvertrag. Bei der Steuer handelt es sich um eine Abgeltungssteuer.

Kriterien für eine geringfügige Dauerbeschäftigung (400€-Job):

- Vereinbarung über die Dauer von mehr als einem Jahr
- wenn weniger als zwei Monate nach einer einjährigen Vereinbarung eine neue Vereinbarung folgt, auch wenn die 50 Tage/Jahr eingehalten werden
- wird eine auf höchstens ein Jahr befristete Vereinbarung mit maximal 50 Arbeitstagen auf eine Dauer von über einem Jahr verlängert, liegt vom Zeitpunkt des Abschlusses der Verlängerungsvereinbarung an eine Dauerbeschäftigung vor. Die Verlängerung einer solchen Vereinbarung ist nur dann unproblematisch,

wenn nach Ablauf der Jahresfrist eine Unterbrechung der Beschäftigung von mindestens zwei Monaten vor Abschluss einer neuen Vereinbarung erfolgt
- Arbeitnehmer, die wiederholt bei demselben Arbeitgeber ohne Abschluss eines Rahmenarbeitsvertrages beschäftigt werden, üben kurzfristige Beschäftigungen in Form wiederkehrender Einzelarbeitsverhältnisse aus. Der Arbeitgeber hat nachzuweisen, dass die wiederkehrenden Beschäftigungsverhältnisse jeweils einzelvertraglich begründet wurden.
- Treffen eine kurzfristige und eine geringfügig entlohnte Beschäftigung zusammen, findet keine Zusammenrechnung statt.

Grundsätzlich werden alle geringfügige Beschäftigungen mit versicherungspflichtigen Hauptbeschäftigungen zusammengerechnet (und führen damit ‚ab dem ersten Euro' zur „vollen" Sozialversicherungspflicht), mit einer wichtigen Ausnahme gegenüber dem bisherigen Recht:
Eine (einzelne) geringfügige Beschäftigung bleibt zusammenrechnungsfrei und kann neben einer Hauptbeschäftigung ausgeübt werden. Für den Arbeitnehmer bleibt dann ein 400-€-Job abgabenfrei; er muss keine Freistellungsbescheinigung des Finanzamtes mehr vorlegen.

Arbeitgeber werden weitgehend von dem Risiko befreit, bei einer Betriebsprüfung Nachzahlungen für bis zu fünf Jahre leisten zu müssen (bis 2002): Wenn sich herausstellt, dass der Arbeitnehmer mehrere geringfügige Beschäftigungen gleichzeitig hat, tritt die Versicherungspflicht erst ab der Bekanntgabe dieser Feststellung ein, nicht mehr rückwirkend.

Kurzfristige Beschäftigung

Kurzfristig ist eine Beschäftigung dann, wenn sie seit ihrem Beginn auf nicht mehr als zwei Monate oder insgesamt 50 Arbeitstage nach ihrer Eigenart begrenzt ist oder vertraglich befristet ist.

Wird eine Beschäftigung an mindestens fünf Tagen in der Woche ausgeübt, ist der Zwei-Monatszeitraum maßgeblich. Bei den anderen Fällen ist der Zeitraum von 50 Arbeitstagen maßgebend. Seit April 2003 ist nicht mehr das Zeitjahr (vergangenen 12 Monate), sondern das Kalenderjahr maßgeblich.

Es sind alle kurzfristigen Beschäftigungen zusammen zu rechnen. Damit liegt – ohne Rücksicht auf das erzielte Einkommen – eine geringfügige Beschäftigung dann vor, wenn sie innerhalb eines Kalenderjahres auf längstens zwei Monate oder 50 Arbeitstage begrenzt ist.

Bei einer geringfügigen kurzfristigen Beschäftigung müssen weder Arbeitgeber noch Arbeitnehmer Sozialversicherungsbeiträge entrichten, d.h. auch für den Arbeitgeber entfällt die Pauschalabgabe zur Sozialversicherung. Aber es fällt eine Lohnsteuerpauschale in Höhe von 25% an zuzüglich des Solidarzuschlags – unter den Voraussetzungen des § 410a Abs.1 EStG.

Eine geringfügige kurzfristige Beschäftigung ist ausgeschlossen, wenn die Tätigkeit berufsmäßig ausgeübt wird und ihr Entgelt 400 € im Monat übersteigt (vgl. § 8 Abs. 1 Nr. 2 SGB IV – keine grundlegenden Änderungen im Vergleich zum bisherigen Recht). Berufsmäßig und damit sozialversicherungspflichtig wird eine Beschäftigung u.a. dann ausgeübt, wenn sie nicht von untergeordneter wirtschaftlicher Bedeutung ist. Berufsmäßigkeit liegt z.B. nicht vor, wenn die kurzfristige Beschäftigung neben einer Hauptbeschäftigung oder beispielsweise von Hausfrauen, Altersrentnern, Schülern und Studenten ausgeübt wird.

Midijobs (Gleitzonenregelung 400,01–800,00 €)

Dabei handelt es sich **nicht** um eine Unterform der Minijobs, sondern um eine sozialversicherungspflichtige Beschäftigung mit gemindertem Sozialversicherungsanteil beim Arbeitnehmer. Es handelt sich dabei um eine Sonderregelung: einer Gleitzone mit progressiv ansteigenden Sozialversicherungsbeiträgen:

- Bei einem Arbeitsentgelt ab 400,01 € mtl. besteht Versicherungspflicht in allen Zweigen der Sozialversicherung.
- Im Entgeltbereich zwischen 400,01 und 800 € mtl. (= Gleitzone) werden ermäßigte Arbeitnehmerbeiträge zur Sozialversicherung erhoben. Der Arbeitnehmeranteil steigt dabei mit der Höhe des Entgelts – nach einer besonderen Berechnungsformel – linear bis zum vollen Beitrag (800 €) an.

Formel zur Berechnung des beitragspflichtigen Arbeitsentgelts:

$F \times 400 + (2 - F) \times (AE - 400)$

(F = 25 : 41,9 (Ø Gesamtsozialversicherungsbeitragssatz),
F wird jährlich neu festgelegt
AE: tatsächliches Arbeitsentgelt

Im Entgeltbereich oberhalb von 800 € mtl. gelten wieder die allgemeinen Regelungen zur „vollen" Beitragszahlung.

! **Achtung:** Das Gleitzonenprivileg gilt nicht für Beschäftigungen, die neben einer versicherungspflichtigen Hauptbeschäftigung ausgeübt werden.

Die Regelungen über die Gleitzone, hier zahlt der Arbeitnehmer nur einen Bruchteil seines Sozialversicherungsanteils, sind **nicht** anzuwenden auf

- den Personenkreis der Auszubildenden; diese werden bereits dadurch entlastet, dass der Arbeitgeber die Beiträge bei einer Ausbildungsvergütung bis zu 325 € im Monat alleine trägt
- Praktikanten, die ein in der Studien- oder Prüfungsordnung vorgeschriebenes Praktikum absolvieren.
  Aber: Für Praktikanten, die ein nicht vorgeschriebenes Praktikum ableisten, gelten die allgemeinen beitragsrechtlichen Regelungen. Daher ist die Gleitzonenregelung zwingend anzuwenden.
- Teilnehmer am freiwilligen sozialen bzw. freiwilligen ökologischen Jahr, weil der Arbeitgeber für diese Personen die Beiträge allein zu tragen hat. Eine Anwendung der Gleitzonenregelung scheidet also aus, obwohl dieser Personenkreis von Gesetzes wegen nicht ausdrücklich ausgenommen ist.

Übersicht der Änderungen ab 1.4.2003 bei den Minijobs

	Arbeitnehmer	**Arbeitgeber**
Minijobs bis 400 €	beitragsfrei	KV 11% (13% zum 1.7.06) RV 12% (15% zum 1.7.06) Pauschale Lohnsteuer 2%
Minijobs in der Gleitzone über 400 € bis 800 €	gestaffelt	KV-, RV-, PV-, AV-Beiträge auf der Grundlage des tatsächlichen Entgelts
AV = Arbeitslosenversicherung, KV = Krankenversicherung, PV = Pflegeversicherung, RV = Rentenversicherung		

- Umschüler, weil sie den zu ihrer Berufsausbildung Beschäftigten gleichgestellt sind, wenn die Umschulung für einen anerkannten Ausbildungsberuf erfolgt und nach den Vorschriften des Berufsbildungsgesetzes durchgeführt wird; sofern diese Voraussetzungen vorliegen, findet die Gleitzone auf Umschüler keine Anwendung
- Vorruhestandsgeldbezieher, da die mit der Gleitzonenregelung verfolgte Intention, die Beschäftigung im Niedriglohnsektor zu fördern, bei Beziehern von Vorruhestandsgeld nicht greift.

Beitragsbonus (§ 421k-neu SGB III)

Arbeitgeber, die einen Arbeitnehmer, der das 55. Lebensjahr vollendet hat, erstmals einstellen, werden von der Zahlung ihres Beitragsanteils zur Arbeitslosenversicherung (zurzeit 3,25%) befreit. Dies gilt befristet für Beschäftigungsverhältnisse, die vor dem 1. Januar 2006 begonnen haben.

Beschäftigung von Studenten/Praktikanten

Um Kosten zu sparen, werden auch bei Vereinen gerne Studenten oder Praktikanten eingesetzt. Das hat den Vorteil, dass bei Einhaltung bestimmter Grenzen keine Sozialversicherungsabgaben anfallen.

Seit 1. Oktober 1996 gilt für StudentInnen und PraktikantInnen, die ein freiwilliges Praktikum absolvieren oder einer sonstigen bezahlten Tätigkeit nachgehen, eine Rentenversicherungspflicht, falls die Obergrenzen einer geringfügigen Beschäftigung überschritten werden. **Ausnahme:** PraktikantInnen unterliegen nicht der Sozialversicherungspflicht, wenn das Praktikum verpflichtender Bestandteil des Studiums ist (Zwischenpraktikum), hier besteht auch Rentenversicherungsfreiheit. !

Meist sind die Bruttozahlungen für Studenten Nettozahlungen, da Studenten, die mit ihrem Verdienst das steuerbefreite Existenzminimum nicht überschreiten, keine Lohnsteuer abführen müssen.

Bei der Beschäftigung von StudentInnen besteht Versicherungsfreiheit (außer bei der Rentenversicherung), wenn

a) die Beschäftigung 20 Stunden pro Woche nicht überschreitet. Die Verdiensthöhe spielt dabei keine Rolle. Wenn die Arbeit den Anforderungen des Studiums angepasst ist, können die 20 Stunden pro Woche auch überschritten werden (z.B. Wochenend- oder Nachtarbeit oder in der vorlesungsfreien Zeit).
b) die Beschäftigung während der Semesterferien ausgeübt wird; hier gibt es weder Einkommens- noch Arbeitszeitgrenzen.

! **Achtung:** Wurden innerhalb der letzten zwölf Monate an insgesamt mehr als 26 Wochen Beschäftigungen mit einer Arbeitszeit von mehr als 20 Stunden ausgeübt, geht der sozialversicherungsrechtliche Status Student verloren. Die Versicherungspflicht beginnt mit dem Tag, an dem erkennbar ist, dass die Beschäftigungszeit insgesamt mehr als 26 Wochen betragen wird.

Der Arbeitgeber muss die Immatrikulationsbescheinigung in den Lohnunterlagen aufbewahren.

Rentenversicherungsfrei und nicht bei der Krankenkasse zu melden sind nach § 5 Abs.3 SGB VI ordentliche Studierende,
a) deren Tätigkeit als Bestandteil des Studiums zu sehen ist oder
b) die unentgeltlich arbeiten oder
c) deren monatliches Entgelt ein Siebtel der Bezugsgröße, d.h. den Betrag von 400,- € nicht übersteigt

Vorgeschriebene Praktika, die vor oder nach dem Studium erfolgen sind sozialversicherungspflichtig. Falls kein Entgelt bezahlt wird, werden die Beiträge auf der Basis eines früheren Arbeitsentgelts berechnet.

Dabei ist der Umfang der Arbeitszeit unerheblich. Versicherungspflicht besteht auch für beurlaubte Studenten.

! **Änderung**: Das Bundessozialgericht hat am 11. November 2003 in vier Revisionsverfahren entschieden, dass für Arbeitnehmer, die ihre Beschäftigung nach Aufnahme des Studiums beim selben Arbeitgeber fortsetzen und ihre Arbeitszeit auf nicht mehr als 20 Stunden in der Woche reduzieren, das Werkstudentenprivileg anzuwenden ist. Diese Beschäftigungen sind somit in der Kranken-, Pflege- und Arbeitslosenversicherung versicherungsfrei, und zwar unabhängig davon, ob die Beschäftigung bereits vor Beginn des Sommersemesters 2000 oder erst danach aufgenommen worden ist.

Beschäftigung von Schülern

Schüler, die eine Volks-, Realschule oder Gymnasium besuchen, unterliegen keiner Sozialversicherungspflicht, wenn sie nur kurzfristig beschäftigt sind, ansonsten ist die geringfügige Beschäftigung bis 400 € sozialversicherungspflichtig.

Von den Beiträgen zur Arbeitslosenversicherung sind Schüler allgemein bildender Schulen befreit.

Auch bei Schülern werden mehrere geringfügig entlohnte Beschäftigungen zusammengerechnet. Wird die Geringfügigkeitsgrenze von 400 € dabei überschritten, tritt die Versicherungspflicht in der Kranken-, Pflege- und Rentenversicherung ein. Geringfügig beschäftigte Schüler müssen bei der deutschen Rentenversicherung Knappschaft Bahn-See, Verwaltungsstelle Cottbus gemeldet werden.

So genannte Schnupperwochen oder Praktika im Rahmen des Besuchs von Fach- und Fachoberschulen sind sozialversicherungsfrei. Studenten und Schüler können auch selbstständig tätig sein, insbesondere wenn die Tätigkeiten den entsprechenden Kriterien (siehe S 142) genügen. In diesem Fall muss der Arbeitgeber weder die Sozialversicherung noch die Lohnsteuer einbehalten und abführen. Die Einkünfte aus gewerblicher oder selbstständiger Tätigkeit hat der/die StudentIn/SchülerIn selbst zu tragen.

Bei einer begünstigten Nebentätigkeit kann seit 1.1.2000 ein Betrag von bis zu 1.848 € als pauschale Aufwandsentschädigung steuerfrei gezahlt werden (siehe S 156f.).

Anmerkung zum Jugendarbeitsschutz

Entgegen der bisherigen Regelung in § 2 Abs.1 JArbSchG ist Kind im Sinne des Gesetzes, wer noch keine 15 Jahre ist (früher 14). Damit wird das Kinderarbeitsverbot ausgeweitet.

Kinder über 13 Jahren dürfen jedoch leichte und für sie geeignete Arbeit ausführen, wie z.B. Zeitung austragen, Haushaltsdienstleistungen (Botengänge, Betreuungsleistungen für ältere Menschen, Nachhilfe, Babysitting). Die Dauer darf jedoch zwei Stunden pro

Tag und fünf Tage pro Woche nicht überschreiten. Es ist weiterhin verboten, Kinder vor der Schule und zwischen 18 und 8 Uhr zu beschäftigen.

Auszubildende

Ausbildungsverträge *müssen* schriftlich abgeschlossen werden. Insbesondere sind Verbote und Gebote bei den Arbeitsbedingungen zu beachten (Jugendarbeitsschutzgesetz!). Informationen hierzu sind bei den Handels- und Handwerkskammern zu erhalten.

Auszubildende sind unabhängig von der Vergütungshöhe versicherungspflichtig im Rahmen der Kranken-, Renten-, Pflege- und Arbeitslosenversicherung.

Beschäftigung von Rentnern

Wenn RentnerInnen einer bezahlten Tätigkeit nachgehen, bei der es sich nicht um eine geringfügige Beschäftigung handelt, werden sie versicherungspflichtig. Das heißt, sie müssen Abgaben an die Sozialversicherung entrichten. Die Höhe der Beiträge richtet sich nach der Rentenart.

a) BezieherInnen einer Altersvollrente bei vollendetem 65. Lebensjahr
   - sind krankenversicherungspflichtig,
   - bei der Arbeitslosen- und Rentenversicherung ist nur der Arbeitgeberanteil zu zahlen

b) BezieherInnen einer Altersrente, die jünger als 65 Jahre sind, sind kranken- und arbeitslosenversicherungspflichtig bei der Rentenversicherung ist nur der Arbeitgeberanteil zu zahlen

c) BerufsunfähigkeitsrentnerInnen: sämtliche Sozialversicherungsbeiträge sind abzuführen

d) ErwerbsunfähigkeitsrentnerInnen: Beitragspflicht nur für Kranken-, Pflege- und Rentenversicherung

Für pensionierte Beamte gelten Sonderregelungen. Detaillierte Angaben zu Fragen bezüglich der Beschäftigung von RentnerInnen erteilen die zuständigen Rentenversicherer bzw. deren Beratungsstellen.

Hinzuverdienstgrenzen für Rentenbezieher ab 1. April 2003

Die Höhe der Zuverdienstgrenze hängt ab, ob eine Voll- oder Teilrente bezogen wird.

Durch das „Zweite Gesetz für moderne Dienstleistung am Arbeitsmarkt“ wurde mit Wirkung ab 1. April 2003 die für eine

- Altersrente vor Vollendung des 65. Lebensjahres in voller Höhe,
- Rente wegen voller Erwerbsminderung in voller Höhe und
- Rente wegen Erwerbsunfähigkeit in voller Höhe

bisher einheitlich für die neuen und alten Bundesländer geltende rentenunschädliche Hinzuverdienstgrenze (bei einer Vollrente) auf ein Siebtel der monatlichen Bezugsgröße angehoben. Hierbei bleibt ein zweimaliges Überschreiten der Grenze bis zum Doppelten im Laufe eines Kalenderjahres außer Betracht. Durch diese Kopplung an die sich immer zum Jahresbeginn ändernde Bezugsgröße wird die Hinzuverdienstgrenze dynamisch gestaltet und ändert sich damit zukünftig immer zum Beginn eines jeden Kalenderjahres. Diese Hinzuverdienstgrenze gilt für alle Rentner, die am 1. April 2003 bereits eine der oben genannten Renten bezogen oder nach diesem Zeitpunkt erstmals zugebilligt bekommen haben. Sie gilt einheitlich für die alten und neuen Bundesländer.

Die **Teilrente** ist eine Alternative zur Vollrente. Hier „verzichtet“ der Versicherte auf einen Teil seiner Rente und darf dafür im Gegenzug in einem höheren Maße dazuverdienen. Da für die Beschäftigung neben der Rente noch weitere Rentenbeiträge fließen, erhöht sich die spätere Vollrente wegen Alters. Die Hinzuverdienstgrenze für eine Teilrente ist individuell zu errechnen.

Tipp der Knappschaft: Bevor mit dem Arbeitgeber und Rentner ein bestimmter Verdienst vereinbart wird, sollten zunächst vom Rentenversicherungsträger die individuellen Hinzuverdienstgrenzen errechnet werden.

Übungsleiterpauschale – steuerfreie Aufwandsentschädigung

! Im gemeinnützigen Bereich sind Vergütungen für bestimmte nebenberufliche Tätigkeiten steuerfrei (§ 3 Nr.26 EStG); dies ist auch unter dem Namen *steuerfreie (pauschale) Aufwandsentschädigung* bekannt.
Zusammenfassend fallen folgende nebenberufliche Tätigkeitskategorien darunter:
- Übungsleiter, Ausbilder, Erzieher, Betreuer oder eine vergleichbare Tätigkeit,
- künstlerische Tätigkeit,
- Pflege alter, kranker oder behinderter Menschen.

Eine detaillierte Auflistung enthält der Kasten auf der nächsten Seite.

Nicht begünstigt ist die Betreuungstätigkeit des gesetzlichen Betreuers nach § 1835a BGB.

Die Zahlung von Aufwandsentschädigungen ist seit dem 1.1.2000 bis zu dem Jahresbetrag von 1.848 € steuerfrei. Dieser pauschale Freibetrag ist unabhängig davon, ob eine Arbeitnehmerstellung oder eine selbstständige Tätigkeit im Sinne des § 18 EStG vorliegt.

Eine Verrechnung mit Werbungskosten bzw. Betriebsausgaben, die mit den steuerfreien Einnahmen in einem unmittelbaren wirtschaftlichen Zusammenhang stehen, ist nur dann möglich, wenn die Einnahmen aus der Tätigkeit und die damit zusammenhängenden Ausgaben den Freibetrag von 1.848 € übersteigen. Liegt ein abhängiges Beschäftigungsverhältnis vor, d.h. ein Arbeitnehmerstatus, ist in jedem Fall der Arbeitnehmer-Pauschbetrag anzusetzen, soweit er nicht bei anderen Arbeitsverhältnissen bereits genutzt wurde. Falls die nachzuweisenden Werbungskosten über dem Pauschbetrag liegen, ist es somit von Vorteil, nicht den Pauschbetrag in Anspruch zu nehmen, sondern die tatsächlichen Werbungskosten zu belegen und umgekehrt.

Laut einem Urteil des BFH vom 30.3.1990 (VI R 188 / 87) ist eine Nebentätigkeit dann gegeben, wenn sie nicht mehr als ein Drittel der Arbeitszeit eines vergleichbaren Vollzeiterwerbs in Anspruch

Die steuerfreie pauschaule Aufwandsentschädigung
(Übungsleiterpauschale)

Nebenberufliche Tätigkeiten für gemeinnützige Vereine, bei denen eine steuerfreie Pauschale Aufwandsentschädigung gezahlt werden darf:	Unter diese Begünstigung fallen folgende Tätigkeiten nicht:
Lehr- und Vortragstätigkeiten, Ausbildungsleistungen, Mentortätigkeit, Leiter einer Arbeitsgemeinschaft, Prüfungsausschusstätigkeit für Übungsleiter Training (Sportverein), Mannschaftsbetreuer, Sportwart, Jugendgruppenleitung, Jugendwart, Pferdetrainer, Erste-Hilfe-Ausbildung, Alten-, Kranken- und Kinderbetreuung, Behindertenpflege, Mütterberatung, Dirigent, Chorleitung, künstlerische Tätigkeiten ...	Vorstand (in seiner Tätigkeit als Vorstand), Beirat u.ä., Kassenwart, Beitragskassierer, Gerätewart, Hausmeister, Platzwart, Reinigungspersonal, Zeitschriftenver-
Es muss hierbei eine Tätigkeit zur Förderung gemeinnütziger, mildtätiger oder kirchlicher Zwecke ausgeübt werden, z.B.	Nicht begünstigt ist die Tätigkeit für:
gemeinnützige Körperschaften (wie gemeinnütziger Verein, Volkshochschule), Industrie- und Handelskammer, Innung, Ärzte-, Rechtsanwalts-, Notar- oder Steuerberaterkammer, Sparkassen- oder Giroverbände, ev. oder kath. Kirche, Universität, Bund, Länder, Gemeinden, Landkreise, Einrichtungen der Wohlfahrtspflege ...	Gewerkschaften, Arbeitgeberverbände, Hausbesitzervereine, Lohnsteuervereine, politische Vereine und Parteien ...

nimmt und eine Abgrenzung zum Hauptberuf möglich ist. Wenn es Unklarheiten bezüglich des Nebentätigkeitscharakters gibt, ist eine „Anrufungsauskunft" (§ 42e EStG) beim zuständigen Finanzamt möglich.

Laut einem Urteil des Finanzgerichtes Köln vom 22.11.1994 kann eine steuerfreie Aufwandsentschädigung auch dann gezahlt werden, wenn der/die EmpfängerIn beim Verein angestellt ist. Voraussetzung hierfür ist die inhaltliche und organisatorische Abgrenzbarkeit von der Hauptbeschäftigung.

Für den Verein ist es wichtig, sich von diesen Beschäftigten schriftlich bestätigen zu lassen, dass sie für die Versteuerung der Vergütung selbst verantwortlich sind, falls sie diesen Freibetrag öfter als einmal (z.B. gleichzeitig bei verschiedenen Vereinen) in Anspruch nehmen sollten. Diese Bestätigung sollte bei den Lohnunterlagen aufbewahrt werden.

Minijob und Übungsleiterpauschale sind kombinierbar

Durch die Kombination von einem Minijob mit der steuerfreien Aufwandsentschädigung für ÜbungsleiterInnen (nach § 3 Nr.26 EStG) in Höhe von bis zu 1848 € pro Kalenderjahr haben steuerbegünstigte Vereine und GmbHs seit 1.4.2003 einen erweiterten Gestaltungsspielraum, der die Planung des Umfangs der Einsätze von ÜbungsleiterInnen bzw. Betreuern deutlich vereinfacht.

Für die Praxis heißt das: Es kann monatlich ein Betrag von insgesamt 554 € (400 € Minijob + 154 Euro Übungsleiterpauschale) vom Träger für die gleiche Tätigkeit ausgeschöpft werden. Einnahmen z.B. aus einer nebenberuflichen Tätigkeit als Übungsleiter, Ausbilder, Betreuer oder vergleichbaren nebenberuflichen Tätigkeiten bis zur Höhe von insgesamt 1848 € pro Kalenderjahr sind steuerfrei. Der steuerfreie Jahresbetrag kann in Raten (monatlich mit 154 €) oder en bloc (jeweils zum Jahresbeginn bzw. zu Beginn der Beschäftigung) berechnet werden.

zB.

Beispiel: Hilde Huber betreut zwei Mal in der Woche und am Wochenende eine Jugendgruppe bei einem Verein der Jugendhilfe. Vom Verein erhält sie für diese Übungsleitertätigkeit monatlich 550 Euro. 154 Euro davon werden monatlich als steuerfreie Aufwandsentschädigung für Übungsleiter abgerechnet, 396 Euro werden als Minijob abgerechnet. Der Verein hat als Arbeitgeber nur von den 396 Euro Pauschalbeiträge zur Kranken- und Rentenversicherung von insgesamt 23 % sowie die einheitliche Pauschsteuer von 2 % zu zahlen. Dabei ist zu beachten, dass, falls die Pflicht zur Zahlung von Weihnachtsgeld bestünde, die Geringfügigkeitsgrenzen überschritten wären, auch wenn Frau Huber darauf freiwillig verzichten würde. Denn: Für die Sozialversicherungspflicht gilt seit 1982 das vom Bundessozialgericht bestätigte Entstehungsprinzip, das heißt, nicht der Zahlungsfluss ist maßgeblich, sondern der rechtliche Anspruch.

Geringverdienergrenze für Auszubildende

Der Arbeitgeber hat den vollen Sozialversicherungsbetrag bei Auszubildenden zu tragen, die bis zu 325,– € monatlich vergütet bekommen.

Sonderfall: Der Vorstand oder ein Vereinsmitglied ist gleichzeitig Arbeitnehmer des Vereins

Die sich aus § 55 AO ergebende Begrenzung von Vereinsfunktionen spielt nur bei sehr kleinen Organisationen eine Rolle. Es ist festzustellen, dass die Rechtsordnung nicht generell die Betätigung hauptamtlicher Mitarbeiter als Vereins- oder Vorstandsmitglied verbietet. Das heißt nichts anderes, als dass hauptamtliche Mitarbeiter eines Vereins auch gleichzeitig Vorstand desselben Vereins sein dürfen.

Aber: Aus zuwendungsrechtlicher Sicht könnte es Probleme geben, beispielsweise kann ein ABM-Beschäftigter eines Vereins nicht gleichzeitig Vorstand in diesem Verein sein.

Es muss auch beachtet werden, dass das Vorstandsmitglied nicht mit sich selbst einen Anstellungsvertrag schließen darf, dies gründet auf dem Verbot von so genannten Insichgeschäften (Geschäfte, die man mit sich selbst abschließt) in § 181 BGB (siehe dazu auch Seite 22).

Sonderfall Mehraufwandsentschädigung/Arbeitsgelegenheit (sog. 1-€-Job) nach § 16 SGB II

Als der § 19 BSHG – die Gesetzesgrundlage der Vorgängerbestimmung – noch Anwendung fand, entstand nach allgemeiner Meinung in Rechtsprechung und Literatur bei Beschäftigung mit Mehraufwandsentschädigung ein öffentlich-rechtliches Beschäftigungsverhältnis. In diesem Fall war der Rechtsweg zu den Arbeitsgerichten nicht offen.

Dies scheint für den § 16 SGB II nicht zu gelten. Die Heranziehung zu den als gemeinnützig und zusätzlich bezeichneten Arbeiten nach § 19 erfolgte nach allgemeiner Absicht durch Verwaltungsakt. Die im Rahmen einer Beschäftigung nach § 16 SGB II tätigen Hilfebedürftigen sind als arbeitnehmerähnliche Personen (nach § 5 Abs. 1 Satz 2 ArbGG) anzusehen und damit Arbeitnehmer i. S. des ArbGG. Arbeitnehmerähnliche Personen erbringen Dienstleistungen ohne Arbeitnehmer zu sein. Der Hilfebedürftigen ist als in einen Betrieb eingegliedert zu sehen und unterliegt im Rahmen der Vereinbarung dem Weisungsrecht des Maßnahmeträgers.

Die Unfallversicherung der Berufsgenossenschaft

Es besteht eine gesetzliche Pflicht der Unfallversicherung, die für sämtliche arbeitnehmerartige (und -ähnliche) Versicherungsverhältnisse gilt (z.B. auch PraktikantInnen, geringfügig Beschäftigte); die Zuständigkeit liegt bei der jeweiligen Berufsgenossenschaft. Es ist allein der Unternehmer beitragspflichtig.

Jeder Unternehmer (auch Vereine) ist verpflichtet, die Eröffnung eines Betriebes bei der zuständigen Berufsgenossenschaft anzumelden (§ 192 SGB VII).

Zum 1.1.97 wurde die Einordnung des Unfallversicherungsrechts in das Sozialgesetzbuch (SGB) vollzogen. Die wesentlichen Änderungen sind: Der Versicherungsschutz von Kindern in Kindergärten wurde auf die Nutzung anderer Tagesbetreuungen (z.B. Horte/Krippen) ausgeweitet, ebenso der Versicherungsschutz von SchülerInnen auf schulische Betreuungsmaßnahmen auch vor und nach dem Unterricht. Der Weg der ArbeitnehmerIn zur Bank zwecks Abheben ihres Lohnes ist nicht mehr unfallversichert. Für Eltern, die wegen Betreuung ihres durch einen Versicherungsfall der gesetzlichen Unfallversicherung verletzten Kindes (z.B. Schulunfall) ihre Tätigkeit unterbrechen, besteht künftig Anspruch auf Verletztengeld. Der Bezug von Verletztengeld wurde auf 78 Wochen begrenzt, wenn mit Arbeitsfähigkeit nicht mehr zu rechnen ist und berufsfördernde Maßnahmen nicht zu erbringen sind.

Der Schutz bzw. die Leistungspflicht der Unfallversicherung für *Arbeitsunfall, Wegeunfall und Berufskrankheit* bestehen ohne Rücksicht auf Alter, Staatsangehörigkeit, Einkommenshöhe und ohne Rücksicht darauf, ob es sich um eine Tätigkeit im öffentlichen oder privaten Dienst, um eine entgeltliche oder unentgeltliche (!), um eine ständige oder vorübergehende Beschäftigung handelt.

Aber: Werden Vereinsmitglieder im Rahmen ihrer Mitgliederpflichten tätig, die sich z.B. aus der Satzung ergeben können, dann gibt es keinen Versicherungsschutz. Erst, wenn die Tätigkeiten über die Pflichten eines Vereinsmitglieds hinausgehen, tritt der Versicherungsschutz in Kraft.

!

Der Schutz der Unfallversicherung ist auch nicht davon abhängig, ob der Unternehmer (der Verein) seiner Melde- und Beitragspflicht ordnungsgemäß nachgekommen ist oder der Versicherungsträger erst durch den Unfall von der Existenz des Unternehmens erfährt.

Die notwendigen Beiträge einschließlich der gesetzlich vorgeschriebenen Rücklage sind vom Unternehmen nach dem so genannten Umlagesoll aufzubringen. Der Verein hat sechs Wochen nach Jahresablauf den Lohnnachweis bei der Berufsgenossenschaft einzureichen, damit der Beitrag berechnet werden kann.

Die *Beitragshöhe* richtet sich nach der Zahl der Versicherten, den gezahlten Arbeitsentgelten und der Gefahrentarifzuordnung. Im Schadensfall ist die Berufsgenossenschaft binnen drei Tagen zu benachrichtigen.

Seit 1.1.1997 sind unter anderem gemeinnützige Vereine nach Vorlage des Freistellungsbescheids von der Zahlung des „Beitrags zum gemeinsamen Ausgleich“ befreit (§ 180 SGB VII).

Unfallversicherung im Ehrenamt

Gemeinnützigen Organisationen haben seit 1.1.2005 die Möglichkeit, ihre gewählten Mandatsträger, z.B. Vereinsvorstände, Kassen- oder Sportwarte, gegen die Folgen von Unfällen zu versichern. Dasselbe gilt auch für ehrenamtlich Engagierte in Gewerkschaften, Arbeitgeberorganisationen oder Kirchen (wenn die Tätigkeit über die Religionsausübung hinausgeht). Bisher war das nur bei den Organisationen möglich, die der Berufsgenossenschaft für Gesundheit und Wohlfahrtspflege (BGW) angeschlossen waren.

Diese Mandatsträger können sich freiwillig bei der gesetzlichen Unfallversicherung Verwaltungs-Berufsgenossenschaft (VBG) versichern.

Ziel der VBG ist es, mit den Verbänden Rahmenverträge abzuschließen, um den einzelnen Ehrenamtsträgern und gemeinnützigen Organisationen die Anmeldung zu vereinfachen. Über die E-Mail: Ehrenamt@vbg.de können sich Verbände mit der VBG in Verbindung setzen, um einen solchen Rahmenvertrag abzuschließen. Ab sofort haben einzelne Organisationen und ehrenamtlich Tätige außerdem die Möglichkeit, sich direkt auf der Webseite der VBG (www.vbg.de) zur Unfallversicherung anzumelden. Der Beitragssatz für die freiwillig Versicherten in gemeinnützigen Organisationen beträgt 2,73 € je Ehrenamtsträger für das Jahr 2005. Versicherte der VBG profitieren davon, dass die Leistungen der gesetzlichen Unfallversicherung nicht an vertraglich vereinbarte Höchstleistungsgrenzen gebunden sind.

Personen, die für öffentlich-rechtliche Religionsgemeinschaften ehrenamtlich tätig werden, sind kraft Gesetzes versichert. Für diese ehrenamtlichen Tätigkeiten ist eine freiwillige Versicherung gesetzlich nicht vorgesehen.

! **Achtung:** Wenn ehrenamtlich Tätige in unterschiedlichen gemeinnützigen Organisationen oder Arbeitgeber-/Arbeitnehmerorganisationen tätig sind, sind jeweils gesonderte Beitrittserklärungen mit jeweiliger Beitragsverpflichtung erforderlich.

Unfallverhütungsvorschrift

Nach dieser Vorschrift ist eine so genannte sicherheitstechnische Betreuung erforderlich, dies gilt auch für Vereine. Hier sind künftig Erleichterungen geplant. Seit 1.1.1997 kann für die Umsetzung der Neuerungen das so genannte Unternehmermodell gewählt werden. Bei diesem Modell kann der Unternehmer zwar auf die Bestellung einer eigenen Fachkraft für Arbeitssicherheit verzichten, muss aber folgende Kriterien erfüllen:

- Er weist eine externe Beratung in Fragen der Arbeitssicherheit und des Gesundheitsschutzes nach. Die Beratungszeit beträgt mindestens die Hälfte der sonst für die Betriebsart zu erbringenden jährlichen Einsatzzeit einer Fachkraft für Arbeitssicherheit.
- Die Beschäftigungszahlen des Unternehmens liegen unterhalb des Grenzwertes für die jeweilige Betriebsart (z.B. Ausbildungsstätten für berufliche Aus- und Fortbildung 74 Arbeitnehmer (AN), Unternehmen für Arbeitsüberlassung 24 AN).
- Er nimmt persönlich an den vier Seminarblöcken für das Unternehmermodell teil.
- Er besucht in bestimmten Zeitabständen Fortbildungsveranstaltungen.

Vereinfachte Betreuung für Betriebe bis zehn Beschäftigte. Für Unternehmen mit bis zu zehn Beschäftigten ist seit dem 1.1.2005 nur noch eine Grundbetreuung maßgeblich. Das bedeutet, dass der Unternehmer, unter Einbeziehung von betriebsärztlichem und sicherheitstechnischem Sachverstand, seinen individuellen Handlungs- und Betreuungsbedarf grundsätzlich selbst festlegt. Basis dafür sind regelmäßig durchgeführte Gefährdungsbeurteilungen.
Weitere Informationen gibt es bei den zuständigen Berufsgenossenschaften. Falls die zuständige Berufsgenossenschaft unklar ist, genügt es, sich bei einer der angegebenen Berufsgenossenschaften zu erkundigen.

Adressen von Berufsgenossenschaften

Verwaltungs-
Berufsgenossenschaft
Mönckebergstr. 7
20095 Hamburg

BGW – Berufsgenossenschaft für
Gesundheitsdienst und Wohlfahrtspflege
Pappelallee 35–37
22089 Hamburg

Schema einer Gehaltsberechnung (nach TVöD)

Bei der Berechnung eines Gehalts ist der Unterschied zwischen der Brutto- / Nettolohnberechnung für den Arbeitnehmer (rechte Spalte) und den insgesamt vom Arbeitgeber zu tragenden Lohnkosten (linke Spalte) zu beachten. Grundlage für das Schema sind die Bestandteile eines Gehalts nach dem TVPöD

Arbeitgeber	**Arbeitnehmer**
Grundvergütung + sonstige Zulage	
= Zwischensumme **plus**	**= Arbeitnehmerbrutto** **abzüglich**
Krankenvers. AG-Anteil	KV Arbeitnehmer-Anteil
Arbeitslosenvers. AG-Anteil	AV Arbeitnehmer-Anteil
Rentenvers. AG-Anteil	RV Arbeitnehmer-Anteil
Pflegeversicherung Arbeitnehmer	PV Arbeitnehmer-Anteil
Anteil Umlage 1 und 2	zusätzlicher Beitragsatz KV
	Beitragszuschlag f. Kinderlose
Berufsgenossenschaft	–
–	Lohnsteuer
–	Solidaritätszuschlag
–	Kirchensteuer
Ergebnis: **Arbeitgeberaufwand**	**Ergebnis:** **Arbeitnehmernetto**
das sind die Gehaltskosten für den Arbeitgeber	das bekommt der Arbeitnehmer netto ausbezahlt

Schema ohne Zuschläge, Urlaubsgeld, Zusatzversorgung, 13. Monatsgehalt u.a.

Was tun, wenn der Verein Arbeitgeber wird?

1 . Beantragung einer Betriebsnummer beim Arbeitsamt (formloser Antrag oder Telefonanruf).

   Die Krankenkasse übernimmt diese Nummer oder vergibt eine eigene Betriebsnummer.

2. Schlüsselverzeichnis für die Angaben der Tätigkeit vom Arbeitsamt schicken lassen.

3. Beantragung einer Steuernummer beim Finanzamt für Körperschaften; die Lohnsteuerkarte des Beschäftigten einziehen (zur Abführung der Lohnsteuer, Solidaritätszuschlag und Kirchensteuer).

4. Anmeldung der ArbeitnehmerIn bei der Krankenkasse (zur Abführung von Rentenversicherung, Arbeitslosenversicherung, Krankenversicherung und Pflegeversicherung).
   Sozialversicherungsausweis bzw. Sozialversicherungsnummer notwendig (Entgeltbescheinigung am Ende des Jahres an die zuständige Krankenkasse schicken).

5. Formloser Brief an die jeweilige Berufsgenossenschaft, z.B. Berufsgenossenschaft für Gesundheitsdienst und Wohlfahrtspflege BGW;
   – von dort Anmeldebögen beziehen;
   – am Beginn des Folgejahres die Beiträge bezahlen.

6. Anlage eines Lohn-/Gehaltskontos (sog. Gehaltskontenblatt – Grundlage für die Überprüfung von Finanzamt und Krankenkasse). Sozialversicherungsausweis bzw. Kopie und Lohnsteuerkarte aufbewahren.

7. Berechnung des Gehalts und der Abzüge anhand der Steuertabellen und der Beitragstabellen der zuständigen Krankenkasse.
   Liegt keine Steuerkarte vor, ist von der höchsten Steuerklasse VI auszugehen.
   Für die richtige Abführung von Steuern und Sozialversicherungsbeträgen haftet der Arbeitgeber.

Die fünf Formen der betrieblichen Altersversorgung

Die späteren Leistungen aus der Rückdeckungsversicherung sind in der Regel erst im Rentenalter zu versteuern. Neben dem für Rentner geltenden niedrigeren Steuersatz können der Versorgungsfreibetrag in Anspruch genommen werden. Bei Kapitalleistungen besteht die Möglichkeit der Verteilung auf fünf Jahre.

1. Pensionskassen

Pensionskassen sind – rein rechtlich gesehen – Versicherungsunternehmen. Sie erhalten Beiträge und übernehmen dafür die Versorgungsleistungen und -risiken. Pensionskassen sind in vielen Fällen der einfachste und kostengünstigste Weg, Mitarbeitern die Gehaltsumwandlung zu ermöglichen. Eine Pensionskasse ist ein rechtlich selbstständiges Unternehmen.

Pensionskassen gewähren den Arbeitnehmern und deren Hinterbliebenen einen *Rechtsanspruch auf die zugesagten Leistungen*. Sie finanzieren sich über Zuwendungen der Trägerunternehmen und aus Vermögenserträgen. Wie andere Versicherungen unterliegen sie der staatlichen Aufsicht durch die Bundesanstalt für Finanzdienstleistungsaufsicht.

Der Beitragsaufwand ist gemäß § 3 Nr.63 EStG bis zu einer Höhe von vier Prozent der Beitragsbemessungsgrenze (West) *steuerfrei*. Im Jahr 2006 entspricht dies einem Betrag in Höhe von 2.520 €. Von den steuerfrei geleisteten Beiträgen müssen auch keine Abgaben an die Sozialversicherungen geleistet werden. Finanziert der Arbeitnehmer die Beiträge im Wege der Entgeltumwandlung, gilt dies zumindest bis Ende 2008. Nimmt man diese steuerliche Förderung in Anspruch, unterliegen die ausgezahlten Leistungen im Versorgungsfall – abgesehen von bestehenden Freibeträgen – der vollen Versteuerung (so genannte *nachgelagerte Besteuerung*).

2. Unterstützungskassen

Unterstützungskassen sind eigenständige Versorgungseinrichtungen. Sie werden von einem oder mehreren Arbeitgebern getragen, und dienen diesen als „verlängerter Arm" bei der Durchführung der betrieblichen Altersversorgung. Die Unterstützungskasse ist insbesondere für Arbeitnehmer mit hohem Einkommen sehr attraktiv. In ihren vielfältigen Gestaltungsmöglichkeiten kann sie den Unternehmen auch als langfristiges Finanzierungsinstrument dienen.

Steuerliche Vorteile und Sozialversicherungsersparnis

Der vereinbarte Entgeltumwandlungsbetrag wird unversteuert von der Unterstützungskasse als Beitrag in eine entsprechende Rückdeckungsversicherung angelegt. Zusätzlich sind die umgewandelten Entgeltanteile bis einschließlich 2008 sozialabgabenfrei (in 2006 bis zu 2.520 € jährlich bzw. 210 € monatlich), sofern ihr Jahreseinkommen innerhalb der Beitragsbemessungsgrenzen der gesetzlichen Rentenversicherung verbleibt. Bei gleichem Aufwand für die Altersversorgung können sie, im Gegensatz zur privaten Absicherung, deutlich höhere Versorgungsleistungen realisieren.

Leistungsphase

Erst mit Auszahlung der Leistungen tritt beim Arbeitnehmer die Steuerpflicht ein. Neben dem für Rentner geltenden niedrigeren Steuersatz können der Versorgungsfreibetrag (40% der Versorgungsbezüge) sowie der Arbeitnehmer-Pauschbetrag in Anspruch genommen werden.

3. Direktversicherung

Bei der Direktversicherung schließt der Arbeitgeber eine Lebens- oder Rentenversicherung auf seinen Mitarbeiter ab und zahlt hierfür die Beiträge. Direktversicherungen sind leicht zu händeln. Sie unterliegen aber der Pauschalbesteuerung und sind in der Höhe begrenzt. Sie eignen sich auch gut zur Ergänzung der anderen Durchführungswege.

Funktionsweise

Die Direktversicherung wird für die versicherte Person, in Form einer Lebensversicherung vom Arbeitgeber (Versicherungsnehmer) abgeschlossen. Durch ein unwiderrufliches Bezugsrecht wird die versicherte Person oder ihre Hinterbliebenen im Leistungsfall so gestellt, als hätten sie die Versicherung selbst abgeschlossen. Eine spezielle Versicherungszusage und eine arbeitsrechtliche Vereinbarung über die Entgeltumwandlung sollten die näheren Einzelheiten regeln.

Finanzierung

Der umgewandelte Teil des Gehaltes wird als Versicherungsbeitrag für ihre Direktversicherung aufgewendet.

Steuervorteile und Sozialversicherungsersparnis

Die Versicherungsbeiträge (max. 1.752 € / 2.148 €) werden nicht mit dem Spitzensteuersatz, sondern mit dem vorteilhaften Pauschalsteuersatz von 20% zzgl. Solidaritätszuschlag und ggf. Kirchensteuer besteuert.

Wird die Direktversicherung darüber hinaus aus Sonderzahlungen, wie z.B. Urlaubs- oder Weihnachtsgeld finanziert, kann man von der Sozialversicherungsfreiheit (im Rahmen der pauschalbesteuerungsfähigen Höchstbeträge bis zum 31.12.2008) profitieren.

Leistungsphase

Die Direktversicherung ist die einzige Form der betrieblichen Altersversorgung in der Kapitalleistungen grundsätzlich steuerfrei ausgezahlt werden können. Die Rentenzahlungen sind nur mit dem Ertragsanteil zu versteuern.

4. Pensionsfonds

Diese Anlageform wurde durch die Rentenreform 2001 neu geschaffen. Sie sind selbstständige Versorgungseinrichtungen und erhalten Beitragszahlungen vom Arbeitgeber. Diese Beiträge werden renditeorientiert an den Kapitalmärkten angelegt und bei Versorgungsbeginn als lebenslange Rentenleistungen ausgezahlt.

5. Direktzusage

Hier werden die Versorgungsleistungen unmittelbar vom Arbeitgeber übernommen. Hierfür sind in der Bilanz Rückstellungen zu bilden. Direktzusagen sind felxibel und nicht an eine bestimmte Anlageform gebunden. Im NPO-Bereich sind sie nicht sehr weit verbreitet. Der Arbeitnehmer wandelt künftige Teile seines Bruttoentgeltes deckungsgleich in eine Anwartschaft auf Altersversorgung um. Voraussetzung ist eine Umwandlungsvereinbarung zwischen Arbeitgeber und Arbeitnehmer.

Übersicht zur Entgeltumwandlung und Beitragspflicht in der Sozialversicherung

Durchführungsweg	**Ausgestaltung**	**Beitragspflichtiges Arbeitsentgelt**	
		2002-2008	ab 2009
Direktzusage	Entgeltumwandlung bis 4 v.H. der BBG (Beitragsbemessungsgrenze)	nein	ja
	vom Arbeitgeber finanziert	nein	nein
Unterstützungskasse	Entgeltumwandlung bis 4 v.H. der BBG	nein	ja
	vom Arbeitgeber finanziert	nein	nein
Direktversicherung	Entgeltumwandlung (laufendes Arbeitsentgelt)	ja	ja
	Entgeltumwandlung (Individualsteuer)	ja	ja
	Entgeltumwandlung (Sonderzuwendungen) bis € 1752, im Rahmen von § 40b EStG pauschal besteuert	nein	ja
	vom Arbeitgeber finanziert (Individualsteuer)	ja	ja
	vom Arbeitgeber finanziert bis € 1752, im Rahmen von § 40b EStG pauschal besteuert	nein	nein

Der umgewandelte Beitrag wird steuerfrei in einer Rückdeckungsversicherung angelegt.

Riesterrente

Seit 1.1.2002 besteht eine zusätzliche öffentlich geförderte Form der privaten Rentenversicherung, auch bekannt unter dem Namen Riesterrente. Begünstigt sind alle in der gesetzlichen Rentenversicherung Pflichtversicherten (Arbeitnehmer, Selbstständige, Kindererziehende während der Kindererziehungszeit, nicht erwerbsmäßig tätige Pflegepersonen, geringfügig Beschäftigte, die auf die Versicherungsfreiheit verzichtet haben u.a.). Dabei handelt es sich um eine betriebliche Altersvorsorge aus Entgeltumwandlung.

Für bestimmte zertifizierte Altersvorsorgeprodukte (Banksparpläne, Fondssparpläne oder private Rentenversicherungen, die vom Bundesaufsichtsamt für Versicherungswesen geprüft worden sind) werden abhängig von Zeitraum, Einkommen und Kinderzahl Zulagen gezahlt. Näheres dazu auf der Webseite des BMA: www.bmas.bund.de.

5

Zuwendungsrecht öffentlicher Förderung

Als Zuwendungen gelten „Ausgaben- und Verpflichtungsermächtigungen für Leistungen an Stellen außerhalb der Verwaltung des Bundes und der Länder zur Erfüllung bestimmter Zwecke ...“ laut § 23 BHO (Bundeshaushaltsordnung); dazu zählen z.B. zweckgebundene Zuschüsse oder zweckgebundene Darlehen.

Zuwendungen kommen aus Töpfen öffentlicher Haushalte und unterliegen damit dem Haushaltsrecht. Das Einhalten der damit verbundenen Vorschriften sichert Zuschüsse und bewahrt vor Rückforderungen; dabei hat die zuschussgebende Behörde einen großen Ermessensspielraum.

Einige Merkmale und Voraussetzungen von Zuwendungen:

- Der Zuwendungsempfänger darf nicht Teil der Bundesverwaltung sein. In Frage kommen also: private Einrichtungen und Behörden von Ländern und Gemeinden sowie sonstige öffentliche Einrichtungen.
- Die Leistung erfolgt einseitig (beruhen also nicht auf ein Geschäft auf Gegenseitigkeit).
- Es besteht kein Rechtsanspruch des Zuwendungsempfängers – die Leistung ist freiwillig.

  Achtung: *Freiwillige Leistungen werden als erste gekürzt!* !
  Aber es gibt auch so etwas wie einen *Vertrauensschutz*, wenn eine Einrichtung bereits jahrelang finanziert wurde (siehe auch. S.178)

VEREINSRECHT STEUERN BUCHHALTUNG ARBEITSRECHT ZUWENDUNGSRECHT VERSICHERUNG ANHANG

- es besteht ein erhebliches Interesse des Zuwendungsgebers an der Leistung, die sonst nicht oder nicht im notwendigen Umfang erbracht werden würde – dieses Interesse wird politisch entschieden und erfolgt durch entsprechende Veranschlagung im Haushalt
  Gründe: Subsidiaritätsprinzip, d.h. aus ordnungspolitischen Gründen sollen Staatsaufgaben nach Möglichkeit von den Bürgern selbst erledigt werden.
- sparsamer und wirtschaftlicher Einsatz öffentlicher Gelder
- die Zuwendung ist zweckgebunden
- Nachweis der zweckentsprechenden Verwendung (§ 44 BHO)
- öffentliche Kontrolle.
- Prüfungsrecht der zuständigen Dienststelle
- meist erfolgt nur eine Teilfinanzierung der Ausgaben

Förderungsarten bzw. Zuwendungsarten

Grundsätzlich werden zwei Zuwendungsarten unterschieden: Projektförderung und institutionelle Förderung. Eine Gegenüberstellung dieser beiden Förderungsarten finden Sie in der Liste auf S.174f.

Finanzierungsarten

Zusätzlich zur Zuwendungsart muss auch noch die Finanzierungsart im Zuwendungsbescheid festgelegt werden. Bei der Festlegung der Finanzierungsart müssen die Interessenlagen von Zuwendungsempfänger und -geber abgewogen werden und die Grundsätze von Sparsamkeit und Wirtschaftlichkeit erfüllt sein. Die Finanzierungsart hat Einfluss auf Bewilligung, Auszahlung, Nachweis und Rückforderung der Zuwendung.
Finanzierungsformen:
- nicht rückzahlbar (Zuschuss)
- bedingt rückzahlbar

– unbedingt rückzahlbar (Darlehen).

Falls es mehrere Zuwendungsgeber gleichzeitig gibt, muss vor der Bewilligung Einvernehmen über die Zuwendungsart herbeigeführt werden.

Es gibt zwei Grundtypen der Finanzierung:

a) Vollfinanzierung

Der Zuwendungsgeber deckt die vollen *zuwendungsfähigen Ausgaben* ab. Eigenmittel oder fremde Mittel werden nicht eingesetzt, ein Höchstbetrag wird festgelegt.

Nur möglich, wenn der Zuwendungsempfänger lediglich ein geringes wirtschaftliches Interesse hat oder die Erfüllung des Zwecks ausschließlich bei voller Kostenübernahme durch die öffentliche Stelle möglich ist. Folgende rechtliche Vorschriften müssen in der Regel beachtet werden:

- Reisekostenrecht (Bundesreisekostengesetz)
- Honorarvorschriften
- Wegstreckenentschädigungen
- Bewirtungsvorschriften (Beköstigungshöchstsätze)
- Ansätze zur Materialausstattung (sachausgabenbezogenes Besserstellungsverbot – Beispiel Büroausstattung)
- freiwillige Versicherungen sind häufig nicht zuwendungsfähig
- Verdingungsordnung für Leistungen (VOL), Verdingungsordnung für Bauleistungen (VOB)
- bei Investitionen: VOL bzw. VOB bei Auftragsvergaben – Einholung von Angeboten, bevorzugte Berücksichtigung bestimmter Bewerber
- grundsätzlich sollten die Ausgaben notwendig und angemessen sein.

b) Teilfinanzierung

Hier wird nur ein Teil der zuwendungsfähigen Kosten abgedeckt. Es werden drei Formen unterschieden:

- Anteilfinanzierung
- Fehlbedarfsfinanzierung
- Festbetragsfinanzierung

Eine Gegenüberstellung dieser drei Finanzierungsarten finden Sie in der Tabelle auf Seite 175.

Projektförderung	**Institutionelle Förderung**
Zuwendungen für - einzelne - inhaltlich und - zeitlich abgegrenzte Vorhaben (auch mehrjährig).	Förderung der gesamten Institution, nicht von einzelnen Maßnahmen, verbindliche Einzelansätze mit Stellenplan,
Besserstellungsverbot: Wenn die Gesamtausgaben für das Projekt überwiegend aus Zuwendungen der öffentlichen Hand bestritten werden, dürfen die Beschäftigten des Projekts nicht bessergestellt werden als vergleichbare Beschäftigte im Öffentlichen	*Generelles* Besserstellungsverbot, d.h. unabhängig von der Höhe der Förderung durch die öffentliche Hand dürfen die Beschäftigten der Institution nicht bessergestellt werden als im Öffentlichen Dienst.
Einzelansätze dürfen ohne besonderen sachlichen Grund um bis zu 20% abweichen, soweit Abweichungen an anderer Stelle kompensiert werden können. Die Bewilligungsbehörde kann im Einzelfall – von vornherein oder nachträglich – auch höhere Abweichungen zulassen (VV (Verwaltungsvorschriften) Nr.5.1.2 zu § 44 BHO)	
Abgrenzbarkeit der Ausgaben des Projekthaushalts vom Gesamthaushalt muss gegeben sein.	Deckung der gesamten nicht abgrenzbaren Ausgaben, Institution als solche wird gefördert.
Enge Zweckbindung der Mittel – großer Einfluss des Zuwendungsgebers.	Keine enge Zweckbindung, sondern grundsätzliche Vorgabe - geringerer Einfluss des Zuwendungsgebers.
Kein Zwang zur Dauerfinanzierung = Vorrang gegenüber institutioneller Förderung. Aber wenn es sich um wiederholte Förderungen handelt, aus denen Dauerbeziehungen entstehen, können unter dem Gesichtspunkt von Treu und Glauben Rechtsbeziehungen entstehen, die zumindest ein abruptes Abbrechen der Förderung	Faktische Dauerverpflichtung, auch wenn nur für das jeweilige Haushaltsjahr bewilligt.

Arten der Teilfinanzierung

Anteilfinanzierung	Fehlbedarfsfinanzierung	Festbetragsfinanzierung
in der Regel bei finanzstarken Einrichtungen, damit diese ihre Prioritäten anders	bei nur geringen Eigenmitteln sog. Spitzenfinanzierung *Spezialfall:* anteilige Fehlbedarfsfinanzierung, wenn Fehlbedarf von mehreren Zuwendungsgebern anteilig nach bestimmtem Schlüssel gedeckt wird.	nur in Ausnahmefällen: 1. bei Verwaltungsvereinfachung (Zuschuss pro Teilnehmer, z.B. Bildungsveranstaltungen) 2. Finanzierung aus politischen Gründen, Anerkennungsbeitrag.
bestimmter Prozentsatz der zuwendungsfähigen Ausgaben	Zuwendung deckt fehlende Mittel ab, sofern der Zuwendungsempfänger die Ausgaben nicht durch eigene oder fremde Mittel zu decken vermag.	Zuwendung in Form eines festen Betrags (z.B. Tagessatz pro Teilnehmer)
Ausgabenminderungen wirken sich anteilig aus, z.B.: bei einem Anteil von 50% und einer Einsparung von 10.000 € müssen 5.000 € zurückgezahlt werden.	Ausgabenminderungen wirken sich voll zuschussmindernd aus (Nr.2.2 ANBest - Allgemeine Nebenbestimmungen)	Ausgabenminderungen wirken sich nicht zuschussmindernd aus – aber Zweckbindung ist trotzdem zu beachten, d.h.: falls die zuwendungsfähigen Ausgaben geringer sind als die bewilligte Zuwendung, dann muss zurückgezahlt werden.
Zuwendung darf anteilig mit etwaigen anderen Zuwendungen und den eigenen und sonstigen Mitteln in Anspruch genommen werden.	Darf i.d.R. erst nach Verbrauch sämtlicher Eigen- und sonstiger Mittel in Anspruch genommen werden.	siehe Anteilfinanzierung
typisch für Projekt-Förderungen	typisch für institutionelle Förderungen	typisch für Pauschalförderung

Bei einer unabweisbaren Erhöhung der Ausgaben hat der Zuwendungsempfänger bei allen drei Teilfinanzierungsarten über den Höchstbetrag hinaus keinen Rechtsanspruch auf eine nachträgliche Erhöhung der Zuwendung.
Kriterien für eine Zahlung können sein:
- verfügbare Haushaltsmittel des Zuschussgebers
- Einsatz von Eigenmitteln oder sonstigen Deckungsmitteln des Zuschussnehmers nicht möglich

Aber: bei unabweisbaren Erhöhungen kann ein faktischer Zwang zur nachträglichen Erhöhung vorliegen (Nachbewilligung), z.B. wenn sonst kein verwertbares Ergebnis erreicht werden kann (VV Nr.4.5. zur BHO).

Es gibt die Möglichkeit der freiwilligen Nachbewilligung.

Rückforderung von Zuwendungen

Arten der Rückforderung	Rückforderung bei Unwirksamkeit des Zuwendungsbescheids	Widerruf eines rechtmäßigen Zuwendungsbescheids	Rücknahme rechtswidriger Zuwendungsbescheide
beispielhafte Gründe	Verletzung der Mitteilungspflicht, z.B. nicht mitgeteilte nachträgliche Ermäßigung der Ausgaben / Erhöhung der	keine zweckentsprechende Mittelverwendung	unrichtige oder unvollständige Angaben des Antragstellers
Folge	Unmittelbare Rückzahlungspflicht mit Verzinsung ohne formelle Aufhebung des Zuwendungsbescheids	Widerruf ganz oder teilweise auch für die Vergangenheit mit Rückzahlungspflicht und Verzinsung	Rücknahme ganz oder teilweise auch für die Vergangenheit, Rückzahlungspflicht und Verzinsung

Exkurs: Rücklagen/Rückstellungen

Gemäß ANBest-P / I 1.8 (Allgemeine Nebenbestimmungen zur Projekt- / Institutionellen Förderung) ist die Bildung von Rücklagen nicht erlaubt; Rückstellungen sind nur dann zulässig, wenn sie gesetzlich vorgeschrieben sind (z.B. bei GmbH, AG).

Bewilligungsvoraussetzungen

Eine Zuwendung gibt es nur dann, wenn der Zweck durch Übernahme von Bürgschaften, Garantien oder sonstige Gewährleistungen nicht erreicht werden kann. Nicht rückzahlbar ist eine Zuwendung nur dann, wenn der Zweck über rückzahlbare Zuwendungen nicht erreicht werden kann.

Eine ordnungsgemäße Geschäfts- und Buchführung, eine entsprechende Verwaltung und ein Nachweis müssen gewährleistet sein.

Bei Zuwendungen darf mit dem Projekt noch nicht begonnen worden sein; es gibt jedoch die Möglichkeit der Genehmigung eines *vorgezogenen* Maßnahmebeginns (auf eigenes Risiko).

Es gibt keine Zuwendung ohne eine gesicherte Gesamtfinanzierung.

Antragsverfahren

Hierfür ist die Schriftform Bedingung. Dabei müssen Angaben über Zuwendungsempfänger, Zweck, Notwendigkeit und Angemessenheit sowie Finanzierungsplan (Übersicht der Ausgaben und Einnahmen) bzw. Wirtschaftsplan, Stellenplan und Vorsteuerabzugsberechtigung gemacht werden. Dem Antrag folgt im Erfolgsfall die Bewilligung; dies ist ein schriftlicher Bescheid mit Bezeichnung des Empfängers, Höhe der Zuwendung, Finanzierungsart, Bewilligungszeitraum, Zweckbindung angeschaffter Gegenstände (Zweckbindung durch Sicherungsübereignung – d.h. der Zuschussgeber bleibt Eigentümer dieser Gegenstände – meist nur bei zeitlich befristeter Projektförderung), sonstige Bedingungen (meist so genannte Nebenbestimmungen).

Unter bestimmten Bedingungen kann es zu Unwirksamkeit, Rücknahme oder Widerruf des Zuwendungsbescheids kommen. Siehe dazu die vorangegangene Tabelle.

Der vom Zuwendungsgeber geforderte Verwendungsnachweis soll darlegen,

- dass die Zuwendung zweckentsprechend und wirtschaftlich verwendet worden ist,
- dass der Zweck erreicht worden ist,
- dass die Zuwendungsbestimmungen eingehalten worden sind.

Der Verwendungsnachweis besteht aus Sachbericht und zahlenmäßigem Nachweis; eventuell ist damit auch eine Vorlage der Belege verbunden.

Anmerkung zu Zuschusskürzungen: Öffentliche Zuschüsse dürfen nicht beliebig gekürzt werden

Die finanziellen Schwierigkeiten der öffentlichen Hand lassen für die nahe Zukunft rigorose Mittelkürzungen in der Wohlfahrtspflege befürchten. Einschränkungen bei der finanziellen Förderung von Vereinen und bei den direkten Sozialleistungen sind vorauszusehen. Die Frage nach den rechtlichen Grenzen für Kürzungsmöglichkeiten drängt sich auf.

Das Verwaltungsgericht Düsseldorf hat eine bemerkenswerte Entscheidung getroffen, die für den Fall von Radikalkürzung von Mitteln der betroffenen Organisation der Wohlfahrtspflege ein Mindestmaß an Rechtsschutz gewährleistet. Das Gericht hat einen zeitlich begrenzten Anspruch auf Weitergewährung von Zuschüssen zur Projektförderung bejaht, damit zumindest eine finanziell geordnete Auflösung der Organisation unter Vermeidung einer Insolvenz erfolgen kann.

Die Mitgliedsorganisation eines Spitzenverbandes der Wohlfahrtspflege betrieb mit zwei hauptamtlichen Angestellten und mehreren ABM-Kräften einen Beratungstreff in einem sozialen Brennpunkt einer westdeutschen Großstadt. Der Ausschuss für Gesundheit und Soziales des Rates dieser Stadt erklärte sich durch Beschluss im Jahre 1986 grundsätzlich bereit, die vollen Personalkosten für die beiden hauptamtlichen Mitarbeiter sowie die notwendigen Sachkosten des Treffs zu übernehmen. Ausgehend hiervon erhielt die Organisation von der Stadt von 1987 bis zum Jahresende 1991 Zuschüsse zur Deckung des Fehlbedarfes als Vorschussleistungen, die im Jahre 1991 knapp 194.000 DM betrugen. Diese zweckgebundenen Leistungen wurden zuletzt am Ende des Vorjahres beantragt; die entsprechenden Bewilligungsbescheide ergingen dann im Herbst des jeweiligen Jahres. Im Vertrauen auf weitere Förderung wurden die Arbeitsverträge ungekündigt fortgesetzt und der Mietvertrag für die Räume bis 1995 befristet verlängert.

Auf den im November 1991 gestellten Antrag auf Zuschuss für das Jahr 1992 teilte der Oberstadtdirektor der Großstadt am 23. Dezember 1991 dem betroffenen Verein mit, wegen gravierender Verschlechterung der Haushaltslage sei für das Projekt nur noch ein Betrag von 133.470 DM eingeplant. Der Verein möge sich auf notwendige personelle Konsequenzen einstellen.

Mit Schreiben vom 29. Januar und 30. März 1992 erklärte der Oberstadtdirektor, eine Förderung sei nur noch bis Ende März 1992 möglich. Abschlagszahlungen wurden nachträglich nur noch für diesen Zeitraum bezahlt. Eine ordentliche Kündigung der Arbeitsverhältnisse der Angestellten war im Januar 1992 nur noch mit Wirkung zum 30. Juni 1992 möglich.

Anträge auf Fortgewährung der Zuschüsse bis zum 30. Juni 1992 wurden abgelehnt. Mangels Eigenmitteln wäre der Verein bis zu diesem Zeitpunkt überschuldet und damit insolvenzreif gewesen.

Die Spitzenorganisation stellte daraufhin beim Verwaltungsgericht Düsseldorf den Antrag, die Stadt im Wege des einstweiligen Rechtsschutzes zur Zahlung von 48.427,50 DM an den Verein zu verurteilen, damit die Kosten des Vereins wenigstens bis zu dessen geordneter Liquidation gedeckt waren. Das Gericht hat dem Antrag unter Berufung auf das Willkürverbot gemäß Artikel 20 des Grundgesetzes stattgegeben.

(aus: „Blätter der Wohlfahrtspflege" 6 / 93)

6

Versicherungen

Die Haftpflichtversicherung

Jeder Verein sollte eine Betriebshaftpflichtversicherung abschließen, so dass er im Falle eines Falles die Schadensersatzansprüche geschädigter Dritter abdecken kann. Grundlage für diese Vorsorge ist der § 823 (1) BGB zum Schadensersatz, der besagt: „Wer vorsätzlich oder fahrlässig das Leben, den Körper, die Gesundheit, die Freiheit, das Eigentum oder ein sonstiges Recht des anderen widerrechtlich verletzt, ist dem anderen zum Ersatz des daraus entstandenen Schadens verpflichtet.“

Beispiel: Ein Besucher stolpert in den Vereinsräumen über einen schlecht verlegten Teppich und bricht sich den Arm. Ist in diesem Fall einem verantwortlichen Vereinsmitglied Fahrlässigkeit nachzuweisen, kann der Verein sowohl zur Zahlung der Behandlungskosten als auch zur Zahlung eines Schmerzensgeldes herangezogen werden und dies ist noch ein relativ harmloses Beispiel. zB.

Der Umfang einer solchen Versicherung hängt von den Tätigkeitsbereichen ab. Ein Verein, der beispielsweise Maßnahmen zur Erwachsenenbildung durchführt, sollte darauf achten, dass er gegen Schadensersatzansprüche bei Unfällen von Teilnehmenden in den Vereinsräumen abgesichert ist. Bei Unklarheiten über den Umfang der Versicherung können am besten unabhängige Versicherungsbüros (z.B. *Fairsicherungsläden*) weiterhelfen.

Vermögensschadenhaftpflichtversicherung

Der Vorstand (§ 26 BGB) und die Vertreter (§ 30 BGB) sind für eine ordnungsmäßige Geschäftsführung des Vereins verantwortlich. Fehler, die dabei entstehen, können gravierende finanzielle Konsequenzen haben. Eine persönliche Haftung des Vorstands gegenüber dem Verein oder Dritten kann die Folge sein. Solche finanzielle Schäden sind nicht durch die normale Haftpflichtversicherung abgedeckt. Beispiele können sein: ein verspätet abgegebener Zuschussantrag, fehlerhafte Angaben bei der Sozialversicherung von Beschäftigten, fehlerhafte Zuwendungsbestätigungen uvm. Diese Vermögensschäden können zum Teil mit einer Vermögensschaden-Haftpflichtversicherung für Vereinsvorstände abgesichert werden. Vor dem Abschluss eines Versicherungsvertrages sollten in jedem Falle die abgesicherten Risiken genau überprüft werden. Ausschlussklauseln verstecken sich gerne im Kleingedruckten.
Ebenso sollten die Tarife verglichen werden.

Sachversicherungen

Im Bereich der Sachversicherungen sind Risiken bei Schäden durch Einbruch-Diebstahl, Feuer, Leitungswasser, Elektronik u.a. versicherbar. Es muss im Einzelnen geprüft werden, was tatsächlich notwendig ist.
Für Vereine, die öffentliche Zuwendungen bekommen, ist ferner zu prüfen, ob die jeweilige Versicherung zuwendungsfähig ist.

Die Direktversicherung

Das Betriebsrentengesetz ermöglicht als freiwillige Sozialleistung zur betrieblichen Altersversorgung die so genannte Direktversicherung, d.h. der Arbeitgeber schließt für seine MitarbeiterInnen eine Kapital-Lebensversicherung oder Rentenversicherung ab. Sie kann als zusätzliche Altersversorgung angesehen werden, die entweder nach Ablauf in einem Betrag (wie jede andere Kapitallebensversicherung) oder als monatliche Rente bis zum Lebensende ausgezahlt wird.

Die Beiträge für die Direktversicherungen sind grundsätzlich steuerpflichtig (§ 2 LStDV). Sie können jedoch vom Arbeitgeber pauschal mit 20% versteuert werden. Für die pauschale Versteuerung müssen jedoch folgende Voraussetzungen erfüllt werden:

- Die Versicherung wurde nicht für den Erlebensfall *vor* dem 60. Lebensjahr abgeschlossen.
- Eine vorzeitige Kündigung durch den/die ArbeitnehmerIn muss ausgeschlossen sein.
- Die Beitragsleistungen dürfen den Betrag von 1.752 € (bei einem Gruppenvertrag 2.148 €) pro Beschäftigten im Jahr nicht übersteigen, unabhängig davon, ob ArbeitgeberIn oder ArbeitnehmerIn die Prämie letztlich tragen.

In diesem Zusammenhang bestimmt die Arbeitsentgeltverordnung (§ 2 Abs.1 Nr.2) für die Sozialversicherung, dass die pauschal versteuerten Versicherungsbeiträge dem Arbeitsentgelt nicht zuzurechnen sind, d.h. sie sind sozialversicherungsfrei. Dies trifft zu, wenn der Versicherungsbeitrag von den Arbeitgebern getragen wird oder wenn die ArbeitnehmerInnen den Versicherungsbeitrag aus einer Einmalzahlung (z.B. Weihnachtsgratifikation) in Form einer Gehaltsumwandlung finanzieren. Im letzteren Fall entfällt die Sozialversicherungsfreiheit ab 2009.

Werden die Versicherungsbeiträge im Rahmen der Gehaltsumwandlung von den ArbeitnehmerInnen aus dem *laufenden* Gehalt bzw. Lohn gezahlt, so gelten sie als Bestandteil des monatlichen Entgeltes und sind entsprechend sozialversicherungspflichtig. Seit dem 1.4.1999 gilt die bei der Gehaltsumwandlung auf den Arbeitnehmer abgewälzte Lohnsteuer als zugeflossener Arbeitslohn und mindert nicht mehr den Bruttoarbeitslohn. Die pauschale Lohnsteuer muss jetzt aus dem Nettolohn beglichen werden.

Betrachtet man lediglich die Summe, die man bei Ablauf dieser Versicherung erhält, ist diese Form der Altersvorsorge weniger interessant; berücksichtigt man jedoch den möglichen Steuervorteil, d.h. die ersparte Differenz zwischen dem pauschalen Steuersatz von 20% und dem Steuersatz, mit dem die letzte eigene Mark versteuert wird (Grenzsteuersatz), kann die Sache vorteilhafter aussehen.

Übersicht zur Entgeltumwandlung und Beitragspflicht in der Sozialversicherung

Durchführungsweg	Ausgestaltung	beitragspflichtiges Arbeitsentgelt 2002-2008	ab 2009
Direktzusage	Entgeltumwandlung bis 4 v.H. der BBG (Beitragsbemessungsgrenze)	nein	ja
	vom Arbeitgeber finanziert	nein	nein
Unterstützungskasse	Entgeltumwandlung bis 4 v.H. der BBG	nein	ja
	vom Arbeitgeber finanziert	nein	nein
Direktversicherung	Entgeltumwandlung (laufendes Arbeitsentgelt)	ja	ja
	Entgeltumwandlung (Individualsteuer)	ja	ja
	Entgeltumwandlung (Sonderzuwendungen) bis € 1752, im Rahmen von § 40b EStG pauschal besteuert	nein	ja
	vom Arbeitgeber finanziert (Individualsteuer)	ja	ja
	vom Arbeitgeber finanziert bis € 1752, im Rahmen von § 40b EStG pauschal besteuert	nein	nein

Riesterrente

Seit 1.1.2002 besteht eine zusätzliche öffentlich geförderte Form der privaten Rentenversicherung, auch bekannt unter dem Namen Riesterrente. Begünstigt sind alle in der gesetzlichen Rentenversicherung Pflichtversicherten (Arbeitnehmer, Selbstständige, Kindererziehende während der Kindererziehungszeit, nicht erwerbsmäßig tätige Pflegepersonen, geringfügig Beschäftigte, die auf die Versicherungsfreiheit verzichtet haben u.a.). Dabei handelt es sich um eine betriebliche Altersvorsorge aus Entgeltumwandlung.

Für bestimmte zertifizierte Altersvorsorgeprodukte (Banksparpläne, Fondssparpläne oder private Rentenversicherungen, die vom Bundesaufsichtsamt für Versicherungswesen geprüft worden sind) werden abhängig von Zeitraum, Einkommen und Kinderzahl Zulagen gezahlt. Näheres dazu auf der Webseite des BMA: www.bma.de, im August 2002 wurde von der Stiftung Warentest die Riesterrente und die Qualität verschiedener Anbieter getestet.

Literatur

Ein sehr gute und übersichtliche Broschüre zu diesem Thema hat die Arbeitsgemeinschaft Jugendfreizeitstätten Baden-Württemberg e.V. (AGJF) herausgegeben: „Goldesel für die GEMA?“ von Doris Stark und Gerhard Baral.

Sie ist zu beziehen über die AGJF-Landesgeschäftsstelle,
Ulmer Straße 241, 70327 Stuttgart.

GEMA

Insbesondere für viele Vereine der Jugend- und Kulturarbeit kann die GEMA ein finanzielles Problem werden, vor allem dann, wenn Veranstaltungen ohne die entsprechenden Gebühren kalkuliert worden sind.

Wer oder was ist die GEMA eigentlich?
Unter diesem Kürzel verbirgt sich die *Gesellschaft für musikalische Aufführungs- und mechanische Vervielfältigungsrechte*; sie vertritt die Rechte der ihr angeschlossenen Komponisten, Textdichter und Musikverleger, also Musikurheber. Durch Verträge mit ähnlichen Gesellschaften im Ausland vertritt sie auch die Rechte ausländischer Musikurheber und verfügt damit praktisch über das gesamte Musikrepertoire der Welt.

Daher gilt, dass, egal welche Musik öffentlich (oder im privaten Kreis ab 30 Personen) läuft, egal wer diese Musik aufführt, die GEMA die betreffende Veranstaltung mit ihrem fest geregelten Vergütungssatz belegen kann. Rechtlich abgestützt ist dies über das Urheberrechtsgesetz (§§ 97 und 106).
Die Zahlung läuft entweder über
a) Einzelverträge bei Einzelveranstaltungen oder über
b) Pauschalverträge bei regelmäßigen Musikaufführungen.
   Ferner existieren so genannte
c) Gesamtverträge, die die GEMA mit vielen Spitzenorganisationen wie z.B. den Wohlfahrtsverbänden abgeschlossen hat; hier gelten dann ermäßigte Vergütungssätze.

Die Kriterien für die Bemessung der Gebühren sind: Raumgröße, Höhe des Eintrittspreises, Art und Dauer der Veranstaltung. Die Anmeldung einer entsprechenden Veranstaltung erfolgt über die zuständige GEMA-Bezirksdirektion; dort kann auch die aktuelle Gebührengestaltung erfragt werden. Die Adresse der zuständigen

Bezirksdirektion ist bei der GEMA-Generaldirektion, Rosenheimer Str. 11, 81667 München, Tel. (089) 48003-00 zu erfahren.

Das Gebührenwerk der GEMA ist sehr umfangreich. Es sollen hier nur die wesentlichen Merkmale aufgeführt werden.
Kriterien für die Vergütungssätze:

- Art und Inhalt der Wiedergabe – es gibt unterschiedliche Vergütungssätze für: Tonfilm, Rundfunk, Fernsehen, ernste Musik, Unterhaltungsmusik, Musikeinlagen in Bühnenwerken und Bühnenmusik (Kabarett, Theater, Kleinkunst), Wiedergabe von Tonträgern in Kursen etc.
- Bei Vorliegen eines Gesamtvertrags bzw. Rahmenvertrags gibt es Ermäßigungen. Vor allem Landes- oder Bundesorganisationen haben solche Verträge abgeschlossen; dadurch kommen ihre Mitglieder in den Genuss einer 20%igen Vergünstigung bei den Gebühren.
- Es gibt Jahres- und Monatsverträge, die ebenfalls zu Nachlässen führen, und Einzelverträge.

! **Achtung:** „Die Vergütungspflicht entfällt für Veranstaltungen der Jugendhilfe, der Sozialhilfe, der Alten- und Wohlfahrtspflege, der Gefangenenbetreuung sowie für Schulveranstaltungen, sofern sie nach ihrer sozialen oder erzieherischen Zweckbestimmung nur einem bestimmt abgegrenzten Kreis von Personen zugänglich sind. Dies gilt nicht, wenn die Veranstaltung dem Erwerbszweck dient." (§ 52 Urheberrechtsgesetz)

Was passiert, wenn man die Anmeldung vergisst?
Kommt die GEMA dahinter (über Pressemeldungen u.ä.), darf sie die doppelte Vergütung verlangen. Bei einer erstmaligen Nichtanmeldung einer Veranstaltung von Vereinen, Altenclubs und anderen sozial engagierten Organisationen verzichtet die GEMA aus Kulanz auf die Verdoppelung des Normaltarifs. Diese Regelung gilt allerdings nicht im Wiederholungsfalle.

Für die Forderungen der GEMA haften nicht nur der Verein nach §§ 31, 831 BGB, sondern der Verein und der Vereinsvorstand gesamtschuldnerisch nach § 840 BGB.
Die GEMA-Vorschriften sind www.gema.de/Kunde einzusehen.

Datenschutz

Ob und in welchem Umfang ein Verein über seine Mitarbeiter, Mitglieder und sonstige Personen geschäftsmäßig mit Hilfe der Datenverarbeitung oder in herkömmlichen Mitgliederkarteien nutzen darf, richtet sich nach den Vorschriften des *Bundesdatenschutzgesetzes* (§§ 1–11, 27–38a, 43 und 44 BDSG).

Unter dem Begriff der personenbezogene Daten versteht man sämtliche Informationen, die etwas über persönliche oder sachliche Verhältnisse einer bestimmten oder bestimmbaren natürlichen Person aussagen (§ 3 Abs.1 BDSG), wie beispielsweise Familienstand, Zahl der Kinder, Beruf, Telefonnummer, Eigentums- oder Besitzverhältnisse, persönliche Interessen, Mitgliedschaft in Organisationen, Datum des Vereinsbeitritts u.a.

Erheben ist das Beschaffen von Daten über den Betroffenen (§ 3 Abs.3 BDSG).

Verarbeiten ist das Speichern (Erfassen, Aufnehmen oder Aufbewahren personenbezogener Daten auf einem Datenträger zum Zwecke der weiteren Verarbeitung oder Nutzung), Verändern, Übermitteln (Bekanntgabe gespeicherter Daten an Dritte, wobei Dritter jede Person oder Stelle außerhalb der verantwortlichen Stelle ist, vgl. hierzu aber auch die Ziffern 2.1 und 3), Sperren und Löschen von personenbezogenen Daten (§ 3 Abs.4 BDSG).

Nutzen ist jede sonstige Verwendung solcher Daten (§ 3 Abs.5 BDSG).

Ein Verein darf personenbezogene Daten nur verarbeiten oder nutzen, wenn eine Vorschrift des Bundesdatenschutzgesetzes oder eine andere Rechtsvorschrift dies erlaubt oder soweit der Betroffene seine Zustimmung gegeben hat (§ 4 Abs.1 BDSG).

Mitgliederdaten dürfen im Rahmen der Vereinsmitgliedschaft als vertragsähnlichem Vertrauensverhältnis und damit des Vereinszwecks erhoben, verarbeitet oder genutzt werden (§ 28 Abs.1 Satz 1 Nr.1 BDSG).

Darüber hinaus dürfen Mitgliederdaten, bei denen kein ausreichender Sachzusammenhang mit dem Vereinszweck besteht sowie Daten von Nichtmitgliedern erhoben, verarbeitet oder genutzt werden, wenn dies zur Wahrung der berechtigten Interessen des Vereins erforderlich ist und kein Grund zu der Annahme besteht, dass der Betroffene ein überwiegendes schutzwürdiges Interesse am Ausschluss der Verarbeitung oder Nutzung hat (§ 28 Abs.1 Satz 1 Nr.2 BDSG).

Quelle: www.datenschutz-berlin.de//doc/de/sonst/dsverein.htm
Siehe auch Datei zum „Datenschutz im Verein“ auf der beigefügten CD-ROM

7

Anhang

Arbeitgeber

Buchungsart: Wird von der Krankenkasse ausgefüllt.

41 46 61 66

Version 0499

AOK Die Gesundheitskasse

Betriebs-/Beitragskonto-Nr. des Arbeitgebers

AOK Bayern – die Gesundheitskasse
Direktion München
Hauptgeschäftsstelle

80266 München

Zeitraum
von: Tag | Monat | Jahr
bis: Tag | Monat | Jahr

Dauer-Beitragsnachweis *) ☐

Bisheriger Dauer-Beitragsnachweis gilt erneut ab nächsten Monat *) ☐

Kurzarbeiter-/Winterausfallgeld oder Arbeitsentgelt für Altersteilzeitarbeit im Entgeltabrechnungszeitraum *) ☐

Korrektur-Beitragsnachweis für abgelaufene Kalenderjahre *) ☐

Beitragsnachweis

	Beitrags-gruppe	Gesamtsumme ☐ DM*) ☐ Euro*)	Pf/Cent
Beiträge zur Krankenversicherung – allgemeiner Beitrag –	1000		
Beiträge zur Krankenversicherung – erhöhter Beitrag –	2000		
Beiträge zur Krankenversicherung – ermäßigter Beitrag –	3000		
Beiträge zur Krankenversicherung für geringfügig Beschäftigte	6000		
Beiträge zur Rentenversicherung der Arbeiter – voller Beitrag –	0100		
Beiträge zur Rentenversicherung der Angestellten – voller Beitrag –	0200		
Beiträge zur Rentenversicherung der Arbeiter – halber Beitrag –	0300		
Beiträge zur Rentenversicherung der Angestellten – halber Beitrag –	0400		
Beiträge zur Rentenversicherung der Arbeiter für geringfügig Beschäftigte	0500		
Beiträge zur Rentenversicherung der Angestellten für geringfügig Beschäftigte	0600		
Beiträge zur Arbeitsförderung – voller Beitrag –	0010		
Beiträge zur Arbeitsförderung – halber Beitrag –	0020		
Beiträge zur sozialen Pflegeversicherung	0001		
Umlage nach dem Lohnfortzahlungsgesetz (LFZG) für Krankheitsaufwendungen	U1		
Umlage nach dem Lohnfortzahlungsgesetz (LFZG) für Mutterschaftsaufwendungen	U2		
Gesamtsumme			
Beiträge für freiwillig Krankenversicherte**)	zur Krankenversicherung		
	zur Pflegeversicherung		
abzüglich Erstattung gemäß § 10 LFZG			
zu zahlender Betrag/Guthaben			

Es wird bestätigt, daß die Angaben mit denen der Lohn- und Gehaltsunterlagen übereinstimmen und in diesen sämtliche Entgelte enthalten sind

Datum, Unterschrift

*) Zutreffendes ankreuzen
**) freiwillige Angabe des Arbeitgebers

VEREINSRECHT
STEUERN
BUCHHALTUNG
ARBEITSRECHT
ZUWENDUNGSRECHT
VERSICHERUNG
ANHANG

Lohnkonto (zu S. 121)

Sozialversicherungs-Nr.

Name

geboren am:

Wohnort

Straße

Vers.Nr.

Ausgeübte Tätigkeit A

Stellung im Beruf B1

Ausbildung B2

Gemeinde

Finanzamt

Fam.Stand

Rentner

Student

Steuerklasse

ab

Religion

Steuerfreie Beträge

Jahr Monat

ab

	steuerpflichtig										
	Gehalt	Sonderzahlung		Vermögensbild. Arbeitgebeber	insges.	Brutto-verdienst	Lohn-steuer	Soli-zuschl.	Kirchenst. ev.	kath.
Jan.										
Febr.										
März										
April										
Mai										
Juni										
Juli										
Aug.										
Sept.										
Okt.										
Nov.										
Dez.										
Summe										

Meldung zur Sozialversicherung

10 Belegart

* Hinweise siehe Rückseite

Beim Ausfüllen mit der Schreibmaschine können Sie fortlaufend schreiben; Sie brauchen die Kästchen dabei nicht zu beachten!

Wichtiger Hinweis bei der erstmaligen Erhebung von Daten:
Die hiermit angeforderten personenbezogenen Daten werden unter Beachtung des Bundesdatenschutzgesetzes erhoben; ihre Kenntnis ist zur Durchführung des Meldeverfahrens nach Maßgabe des Vierten Buches Sozialgesetzbuch sowie der Datenerfassungs- und -übermittlungs-Verordnung erforderlich.

Versicherungsnummer

Personalnummer (freiwillige Angabe)

Name, Vorsatzwort, Namenszusatz, Titel (Trennung durch Kommata)

Vorname

Straße und Hausnummer *(Anschrift nur bei Anmeldung und Anschriftenänderung)*

(Land) Postleitzahl Wohnort

Grund der Abgabe* **Kontrollmeldung** X **Sofortmeldung** X **Namensänderung** X **Änderung der Staatsangehörigkeit** X

Beschäftigungszeit

von T T M M J J J J bis T T M M J J J J Betriebsnummer des Arbeitgebers Personengruppe* Mehrfachbeschäftigung X Betriebsstätte Ost X West X

Nur bei Sozialversicherungspflicht ausfüllen:

Beitragsgruppen* KV RV ALV PV Angaben zur Tätigkeit Schlüssel der Staatsangehörigkeit*

Beitragspflichtiges Bruttoarbeitsentgelt ***(in DM ohne Pfennige / Euro ohne Cent)*** DM X Euro X

Stornierung einer bereits abgegebenen Meldung **Es wurde gemeldet:** **Grund der Abgabe**

von T T M M J J J J bis T T M M J J J J Betriebsnummer des Arbeitgebers Personengruppe* Mehrfachbeschäftigung X Betriebsstätte Ost X West X

Nur bei Sozialversicherungspflicht ausfüllen:

Beitragsgruppen* KV RV ALV PV Angaben zur Tätigkeit Schlüssel der Staatsangehörigkeit*

Beitragspflichtiges Bruttoarbeitsentgelt ***(in DM ohne Pfennige / Euro ohne Cent)*** DM X Euro X

Namensänderung *(bisheriger Name)*

Name, Vorsatzwort, Namenszusatz, Titel (Trennung durch Kommata)

Vorname

Änderung der Staatsangehörigkeit Schlüssel der *neuen* Staatsangehörigkeit*

Wenn keine Versicherungsnummer angegeben werden kann:

Geburtsname Geburtsort

Geburtsdatum T T M M J J J J **Geschlecht** männlich X X weiblich Schlüssel der Staatsangehörigkeit*

Nur bei erstmaliger Aufnahme einer Beschäftigung von nichtdeutschen Bürgern des Europäischen Wirtschaftsraumes:

Geburtsland (Schlüssel der Staatsangehörigkeit)* Versicherungsnummer des Staatsangehörigkeitslandes

name der Krankenkasse (Geschäftsstelle)
AOK BKK IKK EK LKK See-KK BKN

Datum, Name, Anschrift des Arbeitgebers (Firmenstempel)

Gehalt

Tarifgruppe

Betrag

Urlaub

Bankverbindung

Krankenkasse
gemeldet:

Eintritt

Austritt

Beitragsgruppe

Sozialversicher.
Beitragsgruppe
ab

Als vermögenswirksame
Leistungen abzuführen:

monatlich DM
ab
an
Kontonr.

einmalig DM

Abzüge									
Sozialversicherung KV	RV	AL	PV	SV insges.	Abzüge Gesamt	Netto-verdienst	Vermög.-bildung	Sparzu-lage...%	Auszah-lung

Gebrauchsanleitung der CD-ROM

Die beiliegende CD-ROM kann von allen PCs gelesen werden. Sie enthält:

- Mustertexte, und zwar im Verzeichnis MUSTER;
- Gesetzestexte, im Verzeichnis GESETZE.

Die Dateien liegen in zwei – inhaltlich völlig gleichen – Versionen vor:

- zum einen im *ASCII-Format*; das sind diejenigen mit der Extension (Endung) TXT im Dateinamen; diese können Sie in jedes gängige Textverarbeitungsprogramm laden und dort ansehen, weiterverarbeiten und natürlich ausdrucken.
- zum anderen im Format des Programms WORD für Windows; das sind diejenigen mit der Extension DOC.

zB. **Beispiel**: Die Mustersatzung existiert sowohl in der Version SATZUNG.TXT als auch in der Version SATZUNG.DOC.

Falls Sie mit *Windows*-Programmen arbeiten: Laden Sie die TXT-Dateien nicht als *Nur-Text-Datei*, sondern als *MS-DOS-Text*. (Wenn die Umlaute – ä, ö, ü – nicht richtig dargestellt werden, haben Sie es falsch gemacht.)

Lesen Sie ggf. im Handbuch Ihres Textverarbeitungsprogramms nach, wie man eine ASCII-Textdatei importiert. Dies ist im Prinzip sehr einfach, kann aber hier nicht erläutert werden, weil jedes Programm ein wenig anders arbeitet.

Die Mustertexte auf der CD-ROM

Die Mustertexte finden Sie im Verzeichnis MUSTER.

Aufgabenverteilung Vorstand/Geschäftsführung *(zu S. 33)*
Dateiname: Aufgabenverteilung.pdf
Bestätigung Sport/Geldzuwendung *(zu S. 71)*
Dateiname: spenden_sport.pdf
Bestätigung Geldzuwendung *(zu S. 71)*
Dateiname: spenden_milde.pdf
Bestätigung Sachzuweisung *(zu S. 72)*
Dateiname: spenden_sachen.pdf
Betätigung Spendenbescheinigung Allgemein *(zu S.71)*
Dateiname: spenden_geld.pdf
Checkliste für das Protokoll von Mitgliederversammlungen
Dateiname: CHECK.TXT bzw. CHECK.DOC
Satzung *(zu S. 18, 33, 35, 52)*
Die Satzung eines gemeinnützigen eingetragenen Vereins.
Dateiname: SATZUNG.TXT bzw. SATZUNG.DOC
Schiedsvereinbarung *(zu S. 35)*
Die Schiedsvereinbarung eines Vereins.
Dateiname: SCHIEDSV.TXT bzw. SCHIEDSV.DOC
Gründungsprotokoll *(zu S. 35)*
Protokoll der Gründungsversammlung eines Vereins.
Dateiname: GRUEND.TXT bzw. GRUEND.DOC
Anmeldung von Verein und Vorstand beim Vereinsregister *(zu S. 35)*
Dateiname: ANMELD.TXT bzw. ANMELD.DOC
Meldung zur Sozialversicherung *(zu S. 193)*
Dateiname: meldebogen_sozialversicherung.pdf
Meldung von Änderungen an das Vereinsregister *(zu S. 37)*
Dateiname: AENDER.TXT bzw. AENDER.DOC
Antrag eines Vereins an das Finanzamt zur Anerkennung der Gemeinnützigkeit *(zu S. 37)*
Name der Datei: GEMEIN.TXT bzw. GEMEIN.DOC
Vereinfachter Spendennachweis *(zu S. 73)*
Dateiname: VEREINFACHT.TXT bzw. VEREINFACHT.DOC

Arbeitsvertrag *(zu S. 119 und 141)*
Dateiname: ARBVERT.TXT bzw. ARBVERT.DOC
Honorarvertrag *(zu S. 143)*
Dateiname: HONVERT.TXT bzw. HONVERT.DOC
Werkvertrag *(zu S. 143)*
Dateiname: WERKVERT.TXT bzw. WERKVERT.DOC
Abmahnung eines Arbeitnehmers *(zu S. 135 und 138)*
Dateiname: ABMAHN.TXT bzw. ABMAHN.DOC
Ordentliche Kündigung eines Arbeitsverhältnisses *(zu S.136)*
Dateiname: KUEND.TXT bzw. KUEND.DOC
Außerordentliche (fristlose) Kündigung eines Arbeitsverhältnisses *(zu S. 135)*
Dateiname: AOKUEND.TXT bzw. AOKUEND.DOC
Änderungskündigung eines Arbeitsverhältnisses *(zu S. 135)*
Dateiname: AENDKUEN.TXT bzw. AENDKUEN.DOC
Geschäftsführervertrag *(S.32)*
Dateiname: GFvertr.TXT bzw. GFvertr.DOC

Gesetze und Vorschriften auf der CD-ROM

Die Texte der Gesetze und Vorschriften finden Sie im Verzeichnis GESETZE.
Abgabenordung *(zu S. 50)*
Dateiname: AO.pdf
Abgabenordnung, §§ 51–68 *(zu S. 37, 50)*
Dateiname: ABGABEN.TXT bzw. ABGABEN.DOC
Aktuelle Anwendungserlassordnung *(zu S. 35)*
Änderungen des Anwendungserlasses zur Abgabenordnung (AEAO)
Dateiname: anwendungserlassAO.pdf
Antrag auf Dauerfristverlängerung *(zu S. 92)*
Dateiname: UMSt-Dauerfristverlängerung.pdf
Betriebsverfassungsgesetz *(zu S. 131)*
Dateiname: Betriebsverfassungsgesetz.pdf
Bürgerliches Gesetzbuch
Dateiname: BGB.pdf

Verzeichnis der allgemein als besonders förderungswürdig im Sinne des § 10b Abs.1 EStG anerkannten Zwecke *(zu S. 71)*
Name der Datei: ESTG.TXT bzw. ESTG.DOC
Auszug BGB Paragraphen zum Vereins- und Stiftungsrecht
Dateiname: AuszugBGB.TXT bzw. AuszugBGB.DOC (zu S. 15)
Datenschutz im Verein – Merkblatt Innenministerium Baden-Württemberg *(zu S. 190)*
Dateiname: Datenschutz.pdf
Meldung zur Sozialversicherung *(zu S. 193)*
Dateiname: SOZIALV.PDF
Antrag auf Erteilung einer Bescheinigung zur Steuerfreistellung
Dateiname: FREIST.PDF
Merkblatt zur Reform des steuerlichen Spendenrechts
Dateiname: spenden_merkblatt_06-2000.pdf
Statusfeststellungsverfahren *(zu S. 144)*
Dateiname: Statusfeststellungsverfahren.pdf
Richtlinien
Dateiname: Richtlinien.pdf
Beitragsnachweis zur Sozialversicherung
Dateiname: KRANKENV.PDF
Muster für Arbeitsverträge mit Beschäftigten, für die der TVöD gilt und die auf unbestimmte Zeit eingestellt werden
Dateiname: TVÖD-Verträge-Bund.pdf
Tarifvertrag für den öffentlichen Dienst (TVöD)
Stand: 13.9.05
Dateiname: TARIFVERTRAG. TXT und TARIFVERTRAG.DOC

Achtung: Pdf-Dateien können nur mit dem Acrobat-Reader geöffnet werden!

Verzeichnis der Abkürzungen

ABM	Arbeitsbeschaffungsmaßnahme
AAG	Aufwendungsausgleichsgesetz
ABM	Arbeitsbeschaffungsmaßnahme
Abs.	Absatz
AG	Arbeitgeber
AGH	Arbeitsgelegenheit („1€-Job“)
AN	Arbeitnehmer
ANBest	Allgemeine Nebenbestimmungen
AO	Abgabenordnung
ArbGG	Arbeitsgerichtsgesetz
Art.	Artikel
AÜG	Arbeitnehmerüberlassungsgesetz
AVG	Angestelltenversicherungsgesetz
BAG	Bundesarbeitsgericht
BAT	Bundesangestelltentarif
BDSG	Bundesdatenschutzgesetz
BetrVG	Betriebsverfassungsgesetz
BewG	Bewertungsgesetz
BFH	Bundesfinanzhof
BGB	Bürgerliches Gesetzbuch
BHO	Bundeshaushaltsordnung
BMF	Bundesministerium der Finanzen
BSG	Bundessozialgericht
E/A-	Rechnung Einnahmen- / Ausgaben-Rechnung
ESt	Einkommensteuer
EStDV	Einkommensteuerdurchführungsverordnung
EStG	Einkommensteuergesetz
EStR	Einkommensteuerrichtlinien
GbR	Gesellschaft bürgerlichen Rechts
GEMA	Gesellschaft für musikalische Aufführungs- und mechanische Vervielfältigungsrechte
GewSt	Gewerbesteuer
GmbH	Gesellschaft mit beschränkter Haftung
GrStG	Grundsteuergesetz
GuV	Gewinn- und Verlustrechnung
HGB	Handelsgesetzbuch
InsO	Insolvenzordnung
JArbSchG	Jugendarbeitsschutzgesetz
KG	Kommanditgesellschaft
KiSt	Kirchensteuer
KSchG	Kündigungsschutzgesetz
KSt	Körperschaftssteuer
LSt	Lohnsteuer
LStDV	Lohnsteuerdurchführungsverordnung
LFZG	Lohnfortzahlungsgesetz
MuSchG	Mutterschutzgesetz
OST	Neue Bundesländer
OFD	Oberfinanzdirektion
OHG	Offene Handelsgesellschaft
SGB	Sozialgesetzbuch
TVöD	Tarifvertrag des offentl. Dienstes
UmwG	Umwandlungsgesetz
USt	Umsatzsteuer
UStG	Umsatzsteuergesetz
VV	Verwaltungsvorschriften

Stichwortregister

T

U

V

W

Z

IBPro
Beratung im
Sozialmanagement

IBPro ist eine gemeinnützige Dienstleistungs- und Beratungseinrichtung zur Unterstützung und Professionalisierung von Non-Profit-Organisationen.

IBPro bietet
Beratung, Information und Fortbildung folgenden Bereichen an:

- Personal- und Organisationsentwicklung
- Gründungs- und Betriebsberatung
- Verwaltungsorganisation
- Arbeitstechniken
- Finanzierung und EU-Beratung
- Buchhaltung und Rechnungswesen
- Konzeptberatung

Unsere Ziele sind ...
die Weiterentwicklung, Qualifizierung und Professionalisierung von Trägern und deren Personal, sowie Hilfestellung bei Projekt- und Vereinsgründungen und deren finanzielle Absicherung.

Weitere Dienstleistungen sind:

- Herausgabe eines zweimonatlich erscheinenden Infodienstes
- monatlicher Email-Service für Beschäftigungs- und Qualifizierungsinitiativen
- Buchungsservice für gemeinnützige Projekte in München
- Themenbezogene Veröffentlichungen
- Qualifizierungsmaßnahmen für Frauen
- Übernahme von Aufträgen (z.B. Workshops, Moderationen und Gutachten)
- Vermittlung von ModeratorInnen und ReferentInnen

IBPro e.V. – Einsteinstr. 173 – 81677 München
Tel. 089 475061 – Fax 4705920 – info@ibpro.de – www.ibpro.de

IBPro wird gefördert vom Sozialreferat der Stadt München.

Stiftung MITARBEIT – Idee und Auftrag

Aufgabe der Stiftung MITARBEIT ist es, die Demokratie-Entwicklung von unten zu fördern. Sie möchte Menschen ermuti-gen, Eigeninitiative zu entwickeln und sich an der Lösung von Gemeinschaftsaufgaben zu beteiligen. Nur wenn möglichst viele Bürgerinnen und Bürger in unserer Gesellschaft bereit sind, sich einzumischen und demokratische Mitverantwortung zu übernehmen, kann Demokratie lebendig werden.

Stiftung Mitarbeit

Seit 1963 unterstützt die Stiftung MITARBEIT daher bürgerschaftli-ches Engagement und Selbsthilfeaktivitäten in unterschiedlichsten Handlungsfeldern. Dies geschieht durch

- Publikationen und Öffentlichkeitsarbeit
- Fachtagungen und Methodenseminare
- Projekte und Modellvorhaben
- Beratungsangebote für Initiativen und politische Organisationen
- bundesweite Förderung von Vernetzungs- und Kooperationsprojekten
- Starthilfeförderung für neue Initiativen.

Mit dem Internetportal »Wegweiser Bürgergesellschaft« (www. buergergesellschaft.de) wendet sich die Stiftung MITARBEIT an Initiativen, Projekte, Non-Profit-Organisationen, Wissenschaft und Politik wie auch an Bürger(innen), die sich bürgerschaftlich engagieren wollen. Der Wegweiser informiert Interessierte über Möglichkeiten des Engagements in der Bürgergesellschaft, Praxishilfen und Unterstützungsmöglichkeiten. Zugleich erleichtert der Weg-weiser den Erfahrungsaustausch, die Kooperation und das gegenseitige Lernen zwischen unterschiedlichen zivilgesellschaftlichen Netzwerken.

Gegründet wurde die Stiftung von engagierten Persönlichkeiten aus Wissenschaft, Politik und Wirtschaft mit zum Teil sehr unter-schiedlichen politischen Überzeugungen. Diese parteipolitische Unabhängigkeit ist auch heute noch ein Grundpfeiler unserer Arbeit.

Nähere Informartionen

Stiftung MITARBEIT, Bundesgeschäftsstelle
Bornheimer Straße 37 · 53111 Bonn
Telefon (02 28) 6 04 24-0 · Telefax (02 28) 6 04 24-22
E-Mail: info@mitarbeit.de · Internet: www.mitarbeit.de

Wegweiser Bürgergesellschaft im Internet:
www.buergergesellschaft.de

sage

GS-VEREIN

Vorteilsbestellung

Sage Software GmbH & Co. KG
Niederlassung Mönchengladbach
Rheydter Straße 188
41065 Mönchengladbach

Absender

Schneller geht's per Fax: **02161-3535-5533**

VW_Spak

Meine Vollversion:	
GS-VEREIN	99,00 €
Versandkosten entfallen für Sie	~~9,00 €~~

Für die Auftragsdurchführung gelten die "Allgemeine Bedingungen für die Leistung von Hotline- und Support und Softwarewartung für Anwender von Sage Softwareprodukten" sowie die "Allgemeinen Geschäftsbedingungen von Sage", welche unter www.sage.de unter "Rechtliches" einsehbar sind oder auf Wunsch gerne zugesandt werden. Änderungen, Irrtümer und Druckfehler vorbehalten.

Zahlung per Bankeinzug		Zahlung per Kreditkarte	
Bankleitzahl:		**Mastercard**	**VISA**
Bank:		**Kartennummer:**	
Konto-Nr.:		**Gültig von/bis:**	
Unterschrift:		**Unterschrift:**	

Ort / Datum

Unterschrift

AG SPAK RATGEBER

EBW / IBPro (Hg.)

Stiftungen nutzen – Stiftungen gründen

ISBN 3-930830-27-2 – 2004– 185 S. – 15 €

Dieses Buch informiert aktive und künftige StifterInnen. Es zeigt dem, der in Not ist, wie Stiftungen helfen und den Gemeinnützigen, wie Stiftungen ihre Projekte fördern.
Wer einen Teil seines Vermögens einem gemeinnützigen Zweck widmen will, muss prüfen, ob er sein Ziel besser durch Zu-Stiftung oder die Gründung einer eigenen Stiftung erreicht. Als gemeinnützige Organisation ist es immer lohnend, über Förderkriterien passender Stiftungen informiert zu sein.
Das Buch gibt dazu in knapper Form praktische Hilfestellung, nennt wichtige Kontakte und beantwortet häufig gestellten Fragen zum Thema Stiftung.
Weiter finden Sie Artikel zur laufenden Debatte um die Reform des Stiftungsrechts und zu interessanten Stiftungs-Modellen in Deutschland und in anderen Ländern.

Gesamtverzeichnis anfordern!

AG SPAK Bücher – Holzheimer Str. 7 – 89233 Neu-Ulm
Tel. (07308) 91 92 61 – Fax. (07308) 91 90 95
email: spak-buecher@leibi.de – Internet: www.leibi.de/spak-buecher

AG SPAK RATGEBER

Reihe Fundraising – Regionalausgaben

Tipps und Adressen zur Finanzierung von Vereinen, Projekten und gemeinnützigen Einrichtungen.
Ein umfassendes Nachschlagewerk, das in über 400 Kapiteln und Unterkapiteln die 1.000 Möglichkeiten des Fundraising mit Beispielen, Tipps, Checklisten und (Internet-)Adressen erläutert. So kann der Leser die Erfahrungen zahlreicher Initiativen bei der Finanzierung seines eigenen Projektes nutzen.
Die meisten Vereine, Organisationen etc., die Förderung brauchen, wirken im örtlichen Bereich. Daher ist dieses Handbuch vor allem als Hilfestellung für das Fundraising vor Ort angelegt.

Respons (Hg)
Fundraising
Baden-Württemberg
IBSN 3-930830-54-X
2005 – 430 S. – 26 €

EBW / IBPro (Hg.)
Fundraising Bayern
ISBN 3-930830-51-5
2005 – 428 S. – 26 €

Die Paritätische Geldberatung,
Vis-a-Vis Agentur (Hg)
Fundraising
Nordrhein-Westfalen
IBSN 3-930830-52-3
2006 – 364 S. – 26 €

Vorankündigung (Herbst 2006):
Karin Klinger (Hg)
Fundraising Hessen
IBSN 3-930830-53-1
2006 – ca. 400 S. – 26 €